LES BONSAÏS

L'art de cultiver les arbres nains

Jean Genotti

LES BONSAÏS

L'art de cultiver les arbres nains

EDITIONS DE VECCHI S.A.
20, rue de la Trémoille
75008 PARIS

*Les photos sont de A B Antonio Buzzi, Isacco Formentini, Walter Bauducco
et Paolo Navone*

*L'Editeur remercie le Centre de Bonsaïs Piccin de Milan qui nous a permis
de réaliser les photos en couleurs du Studio A B Antonio Buzzi*

Traduction de Maria Teresa Nicotra

© 1988 Editions De Vecchi S.A. Paris
Imprimé en Italie

Je tiens à remercier tous ceux qui ont collaboré à la publication de cet ouvrage, en particulier Maria Teresa Volonterio, pour son aide précieuse dans la rédaction, Walter Bauducco, Isacco Formentini, et Paolo Navone pour les photographies.

Avant-propos

J'ai rédigé ce livre pour ceux qui souhaitent découvrir l'univers des bonsaïs. Je suis un amateur et j'ai voulu en tant que tel exposer sans secrets mes expériences pratiques. Il est inutile de discuter et de théoriser sans connaître d'abord la plante, matière vivante, qui peut devenir un véritable chef-d'œuvre en pot.

Le langage employé est descriptif et dépourvu de mots japonais pour que cet ouvrage soit accessible à tous et pour essayer également, de démystifier un peu le bonsaï. Les techniques présentées dans ce volume permettront d'exprimer, à travers la pratique du bonsaï, la sensibilité artistique de chacun liée à son amour pour la nature.

Le bonsaï n'est pas un rêve impossible, mais une façon de se réaliser. Les photographies de la deuxième partie jointes aux fiches des espèces montrent des plantes de ma collection qui appartiennent toutes à la flore méditerranéenne. C'est, en effet, avec les plantes de son propre pays qu'un bon amateur de bonsaïs devrait commencer ses expériences, car il a plus d'occasions pour les connaître mieux et pour retrouver dans la nature les formes les plus expressives à idéaliser artistiquement dans son bonsaï.

Introduction

Il est difficile de situer l'origine de la technique du bonsaï, car on retrouve de petites plantes élevées en pot chez de nombreux peuples, souvent très éloignés les uns des autres.

L'origine la plus probable des bonsaïs est le **pens-sai** chinois qui a acquis une signification religieuse avec la diffusion de la doctrine bouddhiste zen. La pensée philosophique bouddhiste tendait à priver chaque chose de sa signification individuelle pour qu'elle s'intègre dans un équilibre naturel universel. D'esprit plus pratique que les Indiens, les Chinois, avaient besoin, pour annuler leur personnalité et s'approcher ainsi de Dieu, de quelque chose de réel et de concret, de façon à stimuler la méditation. En parcourant les fonds des vallées et les sommets abrupts, battus par les vents et les pluies, ils avaient remarqué certains vieux arbres qui exprimaient leur force vitale tout en présentant, par leurs cicatrices, les traces de la souffrance et des luttes contre les épreuves affrontées au cours de leur longue existence. Par l'observation de ces arbres, et en réfléchissant sur l'énergie vitale qui les animait, les Chinois se sentaient poussés à la méditation.

Un chêne, un pin, un orme, un cyprès chauve perdaient leur signification et leur valeur individuelles pour en acquérir une beaucoup plus importante dans l'équilibre de la méditation philosophique zen. Grâce à la méditation, le Moi de l'homme perdait sa signification pendant ces instants d'annulation de la personnalité; l'esprit devenait partie de la force vitale de l'univers et de l'équilibre du monde, de la même manière que toutes les autres choses, même les plus insignifiantes.

C'est pour cette raison que l'on commença à prélever ces arbres de leur milieu naturel et à les cultiver en pot. Pour leur valeur religieuse liée à la méditation, on peut souvent les admirer, aujourd'hui encore, sur les escaliers et les balcons des temples.

Le bonsaï chinois a une forme particulière: un tronc extrêmement tourmenté qui dénote de nombreuses années de traumatismes dus, par exemple, à l'inclémence des saisons et des jeunes branches qui expriment la force, la joie, la victoire sur la mort. Les jeunes branches ne sont pas dressées par le temps ou par l'homme: dès qu'elles commencent à devenir rigides, elles sont généralement taillées ou cassées pour faire place à une nouvelle force vitale qui se manifestera par de nouveaux bourgeons. Une phrase qui peut résumer la technique chinoise de l'art bonsaï peut être: "la plante pousse et l'homme la taille". Le **pens-sai** (bonsaï) chinois a donc deux points focaux:

– le tronc, vieux et tourmenté;
– le jeune feuillage vigoureux.

Deux aspects apparemment opposés, mais qui mettent en valeur une signification religieuse et philosophique très précise: la force vitale universelle domine toujours malgré les années qui s'écoulent.

Entre le XIIᵉ et le XIIIᵉ siècle, des moines bouddhistes arrivèrent au Japon et apportèrent avec eux ces arbres miniaturisés. Les Japonais, moins religieux, mais attachés à la tradition et confiants dans les possibilités de l'homme, interprètent le bonsaï de manière différente: le bonsaï devient l'expression multiforme de l'homme et de son affirmation en tant que dominateur, programmateur, technicien, éducateur et artiste.

De nombreux livres et textes donnent des définitions des bonsaïs:

- programmation, car les interventions ont comme but des résultats qui apparaîtront même après des années;
- expression de la volonté et de la domination; moment de réflexion et de méditation;
- idéalisation ou interprétation idéale d'une image réelle;
- moment d'épanouissement d'un travail accompli.

Pour moi le bonsaï est sans doute tout ceci, mais il est surtout un ami qui attire sur lui mon attention et se tait.

Il nécessite des soins particuliers: la taille, afin d'être beau et fort, le fumage et l'arrosage pour croître et se développer.

C'est un ami qui reflète la sensibilité et le goût artistique du jardinier qui, à son tour, respecte l'expression de vie de la plante. Tout amateur de bonsaïs transmet à la plante quelque chose de lui-même: en observant un bonsaï, on devine la personnalité et le caractère de celui qui l'a élevé et soigné.

C'est un ami qui est là lorsque je dois faire face à des

problèmes graves ou à des situations difficiles: en observant mes plantes, le problème perd ses contours, il devient progressivement moins angoissant jusqu'à apparaître insignifiant. Même l'orme, le chêne, le hêtre ou le pin perdent leur signification spécifique: je suis pendant un instant parmi des amis qui éloignent en silence mes préoccupations. Ces moments de repos m'aident à retrouver la force de continuer et de faire face aux difficultés.

Le bonsaï, qui reste la représentation idéale d'un moment réel, nous rapproche du monde qui nous entoure, nous oblige à comprendre la nature et il ne peut, de ce fait, être une simple expression technique extérieure à l'essence de la plante. Pendant sa réalisation, il faut exalter l'aspect que la plante aurait si elle vivait pendant des années dans des conditions ambiantes particulières. Pour pouvoir conserver le caractère, l'âme de l'arbre, on ne peut pas en oublier l'essence.

LA TECHNIQUE: LES CARACTÉRISTIQUES ET LES PROBLÈMES

Observons un bonsaï

Mon interprétation des bonsaïs est très proche de celle des Japonais; elle s'adapte plus à ma culture, même si je ne perds pas de vue la signification philosophico-religieuse chinoise, surtout en ce qui concerne l'invitation à la méditation et à la réflextion.

Lorsque l'on juge un bonsaï, il est impossible, comme certains le croient, d'additionner les notes attribuées à chacune de ses parties suivant des critères établis à l'avance. Ce serait limiter le bonsaï à une expression technique pure, où les anomalies éventuelles, extrêmement expressives, seraient jugées négativement.

Pour le bonsaï, on ne peut pas se servir de règles d'évaluation fixes comme celles utilisées, par exemple, dans une exposition de canaris appartenant à une espèce spécifique.

Les bonsaïs sont différents par leurs essences, et je dirais même que l'essence n'a pas plus de valeur que la forme.

Une certaine forme codifiée peut présenter, en effet, des nuances d'interprétation infinies. Cette souplesse d'interprétation empêche un jugement objectif et rend inefficace toute forme d'évaluation chiffrée.

Si l'on souhaite observer objectivement une plante, il est de toute façon nécessaire d'avoir des termes de comparaison, et cela indépendamment du style codifié par les maîtres.

La première considération concerne le résultat artistique de l'ensemble. L'évaluation, évidemment subjective, dépend du goût, de la sensibilité et de la culture de chacun.

Le jugement est donc personnel, il ne peut pas être schématisé, ni utilisé en termes de comparaison.

Qui "sent" plus une certaine forme tend à en négliger d'autres ou à les valoriser de manière non objective. La plante étant un être vivant, l'intervention de l'homme doit en tout cas se faire remarquer le moins possible. Les grosses coupes mal faites ou non cicatrisées, les marques du fil utilisé pour soutenir les branches, les racines mal fixées à la terre sont, selon moi, autant d'éléments négatifs qui influencent la vision générale de l'ensemble.

Une observation plus rigoureuse prend en considération les différentes parties de la plante:
- le pied;
- le tronc;
- l'écorce;
- la position des branches;
- les feuilles;
- la santé de la plante;
- le sous-bois;
- le pot et la position des plantes dans le pot;

tous ces éléments devant être observés et analysés minutieusement.

Le pied

On appelle pied la partie de la plante qui dépasse de quelques centimètres la surface du sol avant de devenir tronc. Le pied doit être bien ancré au sol, comme celui d'une plante âgée. D'un point de vue esthétique, il est bien de pouvoir observer de grosses racines s'enfonçant dans le sol et donnant à l'arbre de la stabilité. En effet, si l'on observe les gros arbres, la terre qui entoure le pied se soulève légèrement en raison du grossissement des racines; elle est entraînée par la pluie et n'est plus retenue par l'herbe qui pousse difficilement par manque de soleil. Le système radiculaire du pied devient ainsi visible.

Le pivot, c'est-à-dire la grosse racine qui pousse en premier et s'enfonce profondément dans le sol, est particulièrement important pendant les premières années de croissance d'une plante, car celle-ci doit se fixer au sol. Par la suite, il perd sa première fonction de soutien de la plante pour acquérir avec les racines secondaires qui grossissent, la fonction d'absorption. La différence d'épaisseur du pivot et des racines secondaires, très évidente chez les plantes jeunes, disparaît presque complètement chez les arbres adultes. Il est donc très intéressant d'observer les racines qui font surface à la base du pied d'un chêne ou d'un hêtre, plantes à racines pivotantes par excellence.

Il est possible de faire grossir la base du pied et les racines secondaires en ayant recours à des techniques particulières. Sur les très jeunes plants de semence, on élimine le pivot presque immédiatement en le pinçant dès qu'il se forme (lorsqu'il commence à germer); le pivot absorbe, en effet, une partie importante des énergies de la plante pour se fortifier et la soutenir. Son extirpation permet le développement des racines secondaires qui, de par leur nature, se répartissent plus que le pivot et commencent plus vite à absorber les substances nutritives: elles apporteront donc le nécessaire pour que la plante pousse sans problèmes tout en ayant des racines équilibrées.

Quelques interventions pratiques sur le pivot

La caractéristique des arbres anciens, bien ancrés au sol et préparés à faire face aux conditions atmosphériques défavorables, est de posséder de grosses racines qui se ramifient en éventail à partir du tronc et qui font surface au sol.

Dans le bonsaï, cette nécessité esthétique s'oppose à celle d'avoir de nombreuses racines capillaires proches du tronc, dont la fonction est d'absorber l'eau et les sels nutritifs contenus dans l'espace limité du pot.

Il est cependant possible de satisfaire à ces deux exigences apparemment opposées, surtout lorsqu'il s'agit de plantes dont les racines sont grosses et peu réparties ou qui présentent un pivot.

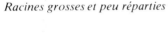
Racines grosses et peu réparties

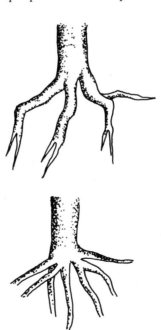

Pivot

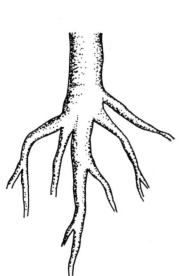
Le pivot et les grosses racines secondaires d'une plante ancienne

Racines réparties

Chez les jeunes arbres, le pivot est souvent la seule racine d'où prennent naissance des barbes clairsemées. La première opération consiste à éliminer le pivot et réduire la longueur des grosses racines en essayant de faire pousser ensuite sur la coupe, saupoudrée d'hormones de bouturage, de nombreuses racines capillaires. La période la plus adaptée à la greffe est le printemps, dès que les bourgeons gonflent et se plissent, et on profitera du dépotage pour travailler sur les racines.

En règle générale, les plantes ayant déjà un certain nombre d'années présentent en plus du pivot de grosses racines secondaires.

Le pivot doit être éliminé par une coupe oblique, alors que la coupe des autres racines se fera en deux temps, les deux printemps suivants. La coupe doit être effectuée sur les racines internes en biais, mais toujours de haut en bas et en saupoudrant ensuite la coupe d'hormones de bouturage.

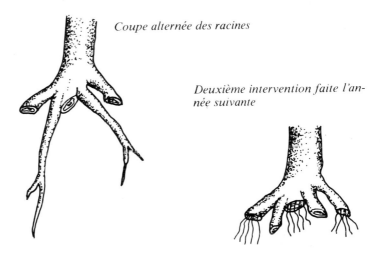

Coupe alternée des racines

Deuxième intervention faite l'année suivante

Il ne faut pas oublier de tailler le feuillage de l'arbre à chaque fois que l'on coupe ses racines, de manière à équilibrer la partie aérienne par rapport à la partie radiculaire.

Chez les arbres jeunes, le système radiculaire comprendra dans la plupart des cas un ou deux pivots qu'il faudra éliminer. Selon certains, il convient de couper le pivot pour permettre le développement des racines capillaires en amont de la coupe et en faire naître d'autres sur cette même coupe. Ainsi, les premières racines se transformeront en racines de soutien à la base de l'arbre. Cette opération provoque cependant un grave traumatisme à la plante qui est parfois privée de 95% de

Exemples de coupes du pivot

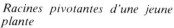

Racines pivotantes d'une jeune plante

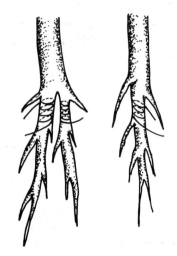

Corsetage du pivot

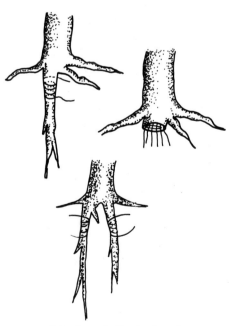

Résultats de l'opération de corsetage: le collet grossit et de nouvelles racines se développent

ses racines absorbantes. Dans le meilleur des cas, l'arbre arrête sa croissance aérienne pendant un an, car il doit envoyer toutes les substances nutritives, obtenues grâce à la fonction chlorophyllienne, aux nouvelles racines, afin qu'elles puissent se développer pour répondre aux besoins du feuillage. Il peut arriver que la plante ne supporte pas le traumatisme, ou qu'elle végète pendant quelques années, car pendant la période longue et délicate de l'enracinement elle n'a pas pu se défendre des maladies.

Je voudrais plutôt suggérer une méthode personnelle qui a donné de très bons résultats lors d'essais sur des hêtres, des charmes, des chênes et qui, je pense, se révèlera efficace même sur les arbres à racines pivotantes. Il suffit d'enrouler, en spirale rapprochée, un fil de cuivre de 2 ou 3 millimètres de diamètre sur la racine ou les racines à éliminer. Le cuivre, étant un anticryptogamique efficace, aide la plante à se défendre des champignons.

On place ensuite l'arbre dans un pot profond ou en pleine terre. Les grosses racines continueront à apporter les substances nutritives et à grossir.

Pendant l'année qui suit, les racines à éliminer seront suffoquées par la spirale, car la sève descendante réduira petit à petit son flux au-dessous du rétrécissement en s'accumulant en revanche en amont de l'obstacle. Par cette technique, on atteint simultanément deux objectifs: faire grossir le collet et faciliter l'émission de nouvelles racines. S'il existe déjà des racines capillaires et superficielles, celles-ci, grâce au dépôt de sève, prendront du volume en remplaçant en peu de temps le pivot dans sa fonction de soutien. Le pivot pourra ainsi être éliminé sans causer de traumatisme à la plante.

À partir du collet plus développé bifurqueront en éventail les racines qui peuvent être dirigées en peu de temps (deux ou trois ans) selon les goûts. Elles constitueront la caractéristique fondamentale de la base de l'arbre. La technique que je viens de décrire permet également d'utiliser, pour les bonsaïs ainsi traités, des pots peu profonds comme ceux indispensables à la formation des bosquets.

L'équilibre et la solidité

Le pied de la plante acquiert par ces techniques la structure d'un arbre adulte. Si malgré tout, les racines ne sont pas visibles, on pourrait placer des pierres à proximité du tronc, ce qui donne, d'un point de vue optique, un effet grossissant; les pierres justifieront, en outre, l'absence de racines qui ne peuvent pas pousser en raison de la nature rocheuse du sol.

Si, pour des raisons particulières, les racines de grosses dimensions ne peuvent pas adhérer à la surface du sol, mais forment des espaces vides avec le tronc ou le pivot, elles doivent être convenablement masquées.

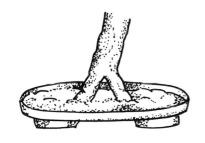

La meilleure solution consiste à souder, avec du ciment ou des mastics spéciaux, deux pierres aux justes dimensions, qui permettent au tronc d'y adhérer et aux racines d'occuper l'espace vide entre elles. L'arbre donnera l'impression d'être accroché au rocher et semblera stable. Le pied, plus gros, donnera un effet d'équilibre. Même si, au début, la racine peut ne pas adhérer parfaitement à la cavité, en poussant et avec les années, elle se placera correctement de manière à ne plus paraître artificielle. Il nous arrive souvent d'acheter des plantes placées dans un pot de culture; on les fait pousser pendant parfois de nombreuses années et ensuite, au moment de les mettre dans le pot pour bonsaï, on se rend compte que certaines racines ont des positions irrégulières.

Des racines de grosses dimensions bien masquées par une pierre

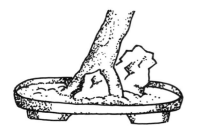

La meilleure chose est de les couper obliquement, avec un trait non net vers le haut. Il se formera une cicatrice intéressante qui grossira et donnera au pied un aspect très personnel.

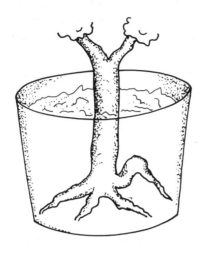

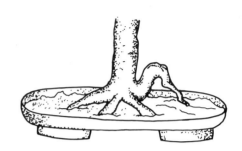

Tronc en section

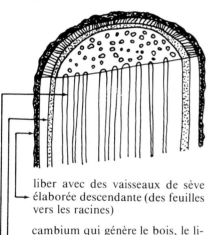

Coupe des racines irrégulières

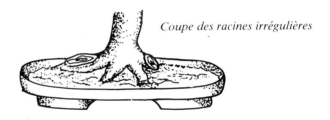

liber avec des vaisseaux de sève élaborée descendante (des feuilles vers les racines)

cambium qui génère le bois, le liber, le cal, les racines, les bourgeons

vaisseaux ligneux avec sève ascendante

Le grossissement du pied de la petite plante peut être également obtenu en faisant tourner le système radiculaire dans un sens et le tronc dans l'autre, à la hauteur du collet. Cette opération s'effectue sur les plantes jeunes, au réveil ou au début de la végétation estivale. Elle a comme conséquence de détacher le liber du bois dans la région du cambium. Aucune cicatrice ne se forme à l'extérieur, mais à l'intérieur, sur le point de torsion, de nombreux vaisseaux libériens se cassent et se modifient. Les cellules du cambium, excitées, se multiplient pour effectuer les soudures et la sève descendante s'accumule en raison de la difficulté d'écoulement. Le pied grossit.

Pour pouvoir effectuer cette opération, il faut que la plante soit jeune et saine. On peut la répéter une seconde fois. Mais si la plante présente une structure de base irrégulière avec le pied plus petit que la partie supérieure et qu'il n'est pas possible de le faire grossir par des torsions, on peut serrer la base avec un fil de cuivre remontant en spirale le long du tronc. C'est la technique du corsetage. Le fil est maintenu pendant toute la période végétative, de préférence au printemps, et enlevé au mois d'août pour ensuite être remis au printemps suivant, légèrement déplacé par rapport à la position précédente.

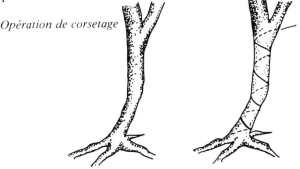

Opération de corsetage

On obtiendra ainsi quelques années plus tard, un équilibre acceptable. Le défaut peut également être masqué par des techniques particulières comme, par exemple, l'emploi de pierres appuyées contre le tronc.

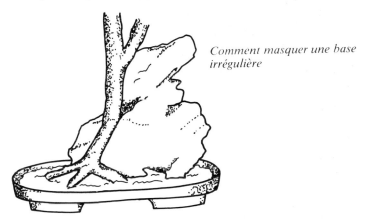

Comment masquer une base irrégulière

Le tronc

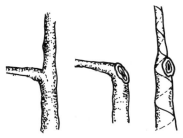

Régénération de l'apex avec une branche

Le tronc doit être conique. La conicité qui, dans la nature, se développe sur 10 à 30 m de hauteur, doit être obtenue sur le bonsaï sur les 10 à 15 cm de sa tige.

Il en résulte que la conicité doit être exagérée. Si un bonsaï était agrandi et avait sa hauteur naturelle, son tronc serait probablement excessivement gros. La conicité est une grande valeur: elle s'obtient souvent en écimant l'arbre obliquement à l'endroit où se trouve un rameau ou un bourgeon. Ce dernier remplacera l'apex éliminé.

La conicité des conifères est obtenue également en transformant la cime de l'arbre en **jin**.

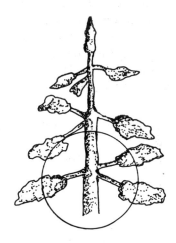

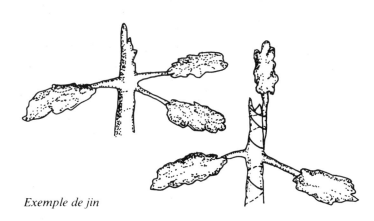

Exemple de jin

Le traitement et la signification du jin

Le **jin** est une partie morte, blanchie avec des polysulfures de calcium et sulfate de cuivre pour empêcher la marcescence [1]. On peut protéger les parties mortes en étalant sur leur surface un mélange préparé en faisant bouillir pendant 1 heure, dans un ½ litre d'eau, 112 grammes de gypse et 250 grammes de soufre. On recommande de préparer ce mélange à l'extérieur.

Ceux qui observent l'arbre pensent immédiatement qu'un traumatisme, une foudre, le gel, le vent, la sécheresse l'ont touché au cours de sa longue existence et que l'arbre a résisté.

Le **jin** est entendu métaphoriquement comme l'âme de la partie morte qui continue à être. Habituellement, le **jin** est placé de manière visible et donc dirigé vers l'observateur. Si les écimages restent visibles, ils sont laids et artificiels et constituent un défaut grave qui n'est pas contrebalancé par la conicité obtenue.

L'écorce

Le tronc avant l'opération

L'écorce du bonsaï doit-elle correspondre à celle de l'arbre dans la nature? Celle des conifères, par exemple, à l'exception des genévriers, est rugueuse et crevassée, alors que celle des hêtres est lisse, turgescente et de couleur homogène.

L'aspect rugueux peut être obtenu par des torsions printanières et des incisions exécutées à l'aide de la

[1] **Marcescence:** on qualifie ainsi l'état d'une plante, ou d'une partie d'une plante, qui s'étiole et flétrit sans se détacher.

Le tronc après les incisions superficielles

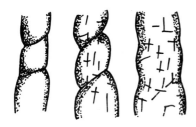

Exemple de corsetage et de coupes verticales sur le tronc

Les branches

pointe d'un couteau en automne ou en hiver. Il est préférable de faire ces incisions en automne ou en hiver, car l'écorce est moins active. Les petites blessures sèchent et se cicatrisent. Au printemps, lorsque le tronc est gonflé, elles vont former des crevasses et l'écorce se plissera par la suite en se couvrant d'écailles à l'aspect très naturel.

Le corsetage, obtenu après avoir entouré en spirale un fil le long du tronc pour en augmenter le volume et la conicité, est accompagné d'incisions inesthétiques qui peuvent être cachées par des crevasses de l'écorce dues à des coupes verticales à l'endroit où restent les traces du fil une fois qu'il a été ôté.

Il est très difficile d'intervenir sur les arbres à feuilles caduques dont l'écorce est lisse (le bouleau, le hêtre, le charme, l'érable). L'écorce de ces plantes a, en effet, une couleur très particulière et présente une turgescence qui ne peut pas être obtenue artificiellement. Seule une fumure équilibrée avec des sels de phosphore et de potassium aide à atteindre cet objectif.

Comme le grossissement du tronc est progressif, il faut des années de fumures et de soins adéquats, associés à la taille des branches, le remplacement de l'apex ou, même, la recréation du feuillage extirpé. Il est plus difficile d'obtenir un beau tronc correspondant à l'essence en question sur un arbre à feuilles caduques et à écorce lisse que sur un conifère. Les interventions directes sur les arbres à feuilles caduques paraissent évidentes et artificielles.

Un tronc lisse exige des branches lisses; sur un tronc rugueux, les branches, dans les parties libres proches du tronc, ont une écorce écailleuse.

Il est intéressant d'observer la position des branches sur les arbres comportant un seul tronc:

- la première branche, plus grosse, située vers la base, devrait partir à environ deux tiers de la hauteur de l'arbre et être placée à la gauche ou à la droite de l'observateur;
- la deuxième branche sera à environ deux tiers de la partie restante, opposée à la première, c'est-à-dire à la droite ou à la gauche de l'observateur;
- la troisième branche sera, en revanche, dirigée vers la partie arrière pour donner de la profondeur.

L'arbre doit présenter une partie frontale pour que l'on

puisse observer sa structure. Les branches du haut peuvent présenter des positions moins régulières, mais elles doivent, de toute façon, être plus petites que celles du bas.

Les branches suivent l'aspect du tronc: un tronc droit exige des branches droites, un tronc courbe des branches sinueuses. Aucune branche ne doit se présenter recourbée à l'horizontale de manière à passer devant le tronc dans la direction de la personne qui observe. L'angle que la branche forme avec le tronc est très intéressant. Pour les arbres ayant un seul tronc, les grosses branches du bas doivent former des angles plus ouverts que ceux formés par les branches supérieures et ces angles doivent diminuer progressivement en remontant vers la cime.

Un tronc droit exige des branches et des angles droits

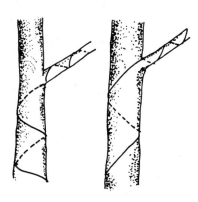

Positionnements du fil en cuivre pour l'élevage des branches

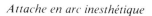

Attache en arc inesthétique

Il existe cependant de nombreuses exceptions, comme notamment la formation de plusieurs branches maîtresses, même à une certaine hauteur du pied, lorsqu'il y a déjà des branches basses. Il faut absolument éviter l'attache de la branche en arc, car elle paraît très artificielle. La conicité du tronc doit se refléter dans la conicité des branches. Le grossissement à la base de ces dernières peut être obtenu en faisant passer un fil de cuivre, de manière à freiner le passage de la sève élaborée, dirigée vers le sol. Si l'on souhaite uniquement donner à la branche une certaine forme, on peut enrouler le fil de manière différente, en le faisant passer par le haut du point d'attache au tronc.

Si le tronc est sinueux, les branches devront être situées à l'extérieur de la courbe du tronc et non pas l'inverse, sauf si elles sont très grosses, avec des feuilles dépassant la projection verticale du feuillage supérieur, ou si l'on veut simuler un arbre battu par les vents.

Toutes ces règles définissant un bon bonsaï sont importantes, sans être cependant déterminantes. Ceux qui les respectent éviteront toute laideur, mais risqueront parfois d'obtenir un résultat sans personnalité et sans âme. Parmi les plus beaux bonsaïs présentés dans les exposi-

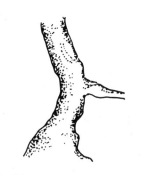

Position correcte

Position incorrecte

tions, très peu ont été obtenus en suivant soigneusement des règles. On reconnaît immédiatement un bonsaï parfait du point de vue technique, mais dont le style semble trop affecté. La plupart, heureusement, échappent aux règles et deviennent des chefs-d'œuvre naturels, spécimens splendides et irremplaçables.

La structure de la branche doit, elle aussi, rappeler celle du tronc. La branche principale prend la place du tronc et il faudra donc suivre les règles qui viennent d'être mentionnées. On préférera une ramification serrée et bien répartie.

Si l'arbre est un conifère, il est préférable que les grosses branches, qui auront toutes une direction horizontale, présentent une ramification jeune et courte sur leur partie supérieure et soient dépouillées sur la partie inférieure.

Si la plante est à feuilles caduques, il est important d'établir le moment magique pendant lequel on veut la regarder. Si l'on veut regarder la plante lorsqu'elle est dépouillée, il est essentiel que la ramification soit bien serrée et finement répartie. Si, au contraire, on souhaite l'observer pendant sa période végétative, il faut que les branches ne forment pas des masses de feuillage compact, mais qu'elles portent la juste quantité de feuillage qui laissera voir la structure de l'essence. Dans le cas des arbres à feuilles caduques, il est donc intéressant d'alterner les périodes d'observation: une année, l'été, l'année suivante l'hiver.

Au printemps il faut tailler beaucoup, de manière à pouvoir ensuite admirer la végétation de l'arbre. La taille et le pincement des bourgeons sont répétés en été pour rendre les ramifications plus épaisses. Elles seront très épaisses l'hiver suivant, ou parfois après la deuxième année: la plante dépouillée sera alors splendide.

En regardant l'arbre du dessus, en vue aérienne, les branches ne doivent pas se superposer. Leur disposition doit suivre une hélice imaginaire, afin que chaque feuille soit éclairée de la même manière. En outre, la projection verticale du feuillage de l'arbre au sol doit rappeler vaguement deux demi-cercles dont le plus petit, obtenu avec l'ombre de la partie plus haute, est orienté vers l'observateur.

L'arbre doit se présenter légèrement penché vers l'observateur pour recréer l'impression ressentie lorsqu'en s'approchant d'un gros arbre, on observe d'abord la base du tronc pour diriger ensuite le regard vers la cime, en faisant avec la tête un mouvement semi-circulaire.

De plus, l'arbre ne doit pas s'imposer à l'observateur, mais se pencher, presque comme en signe de soumission, pour être contemplé.

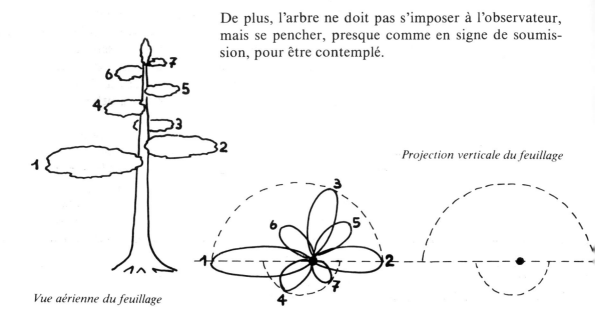

Projection verticale du feuillage

Vue aérienne du feuillage

Les feuilles

Importance de l'effeuillage

Un aspect fascinant de la technique du bonsaï est la miniaturisation des feuilles. En effet, il est fondamental que la hauteur du bonsaï et les dimensions des feuilles soient proportionnées.

Pour les plantes à feuilles caduques vigoureuses, et notamment pour les **Zelcova** et les érables, le moment le plus indiqué pour l'effeuillage total ou partiel se situe aux mois de mai et de juin. Par cette technique, il est possible de faire vivre à l'arbre un deuxième printemps et, en créant une brève pause de la période végétative, accélérer le vieillissement de l'arbre. On peut ainsi admirer les couleurs vives des jeunes feuilles, plus petites que les précédentes.

La miniaturisation est un objectif très recherché par les amateurs de bonsaïs et, en particulier, par ceux qui soignent les bonsaïs de 30 à 40 centimètres de hauteur. Chez les bonsaïs de dimensions moyennes, les petites feuilles sont mieux proportionnées et l'aspect général de l'arbre est plus harmonieux et plus naturel. Pour les plantes de 60 à 100 centimètres, la miniaturisation des feuilles est beaucoup moins importante. Les bonsaïs qui viennent d'être plantés et qui doivent pousser et développer de nombreuses branches ne doivent jamais être effeuillés, même partiellement. L'effeuillage présente également l'avantage de faire pénétrer la lumière vers les parties internes qui autrement resteraient à l'ombre pendant l'été, empêchant la plante d'acquérir cette couleur particulière qui est signe de santé et favorisant la prolifération des insectes qui redoutent le soleil.

En effeuillant l'arbre, on coupe toujours les bourgeons trop longs; l'élimination du bourgeon terminal actif réveille les bourgeons dormants à l'aisselle des feuilles qui vont automatiquement enrichir la ramification.

L'effeuillage s'effectue, en règle générale, en deux ou trois étapes et peut être total ou partiel. On le réalise uniquement sur les plantes fortes et l'opération est répétée 2 ou 3 fois par an.

Admettons que l'on veuille effeuiller totalement un hêtre vigoureux de dimensions moyennes (30 à 40 centimètres de feuillage). Il est préférable, tout d'abord, d'écimer les branches basses et de les effeuiller en coupant le limbe des feuilles à l'aide de ciseaux. Il faut veiller à laisser le pétiole attaché au tronc, de manière à ne pas toucher les yeux axillaires dormants; les pétioles privés de limbe vont tomber d'eux-mêmes 4 ou 5 jours plus tard.

La partie supérieure de la plante ne doit pas être effeuillée tout de suite. Elle recevra ainsi un choc moins violent. Les cicatrices se formeront plus facilement et les yeux axillaires commenceront à se développer plus rapidement sur les branches dépouillées.

Six ou sept jours plus tard, on peut procéder à l'effeuil-

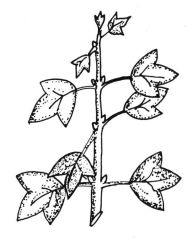

Branche avec 8 feuilles et 4 entre-nœuds

lage de la partie supérieure du bonsaï. Les branches doivent être coupées davantage, car elles sont généralement plus longues et plus fortes, et tendent à s'allonger plus que celles situées à la base du tronc. En exécutant l'opération d'effeuillage en deux temps, on facilite le développement de la partie basse qui est souvent moins forte. Ainsi quand les cicatrices commencent à se former dans la partie supérieure, les yeux dormants auront déjà commencé à se développer dans la partie inférieure.

Les bourgeons ouverts attireront un flux supérieur de sève dans les branches basses, les rendant plus fortes.

Dix ou douze jours après l'opération, la plante sera entièrement couverte à la base par de petites feuilles, alors que vers la cime les bourgeons auront à peine commencé à se développer.

Lorsque la plante est effeuillée (surtout à la base), il est préférable de pencher le pot pour éclairer davantage la partie la moins forte de la plante et attirer plus de sève vers les branches les plus délicates pour les fortifier. La sève, en effet, tend à se diriger vers la partie mieux éclairée, donc la plus active.

En penchant le pot, il se crée en outre, une petite accumulation d'eau dans la partie inclinée. La présence

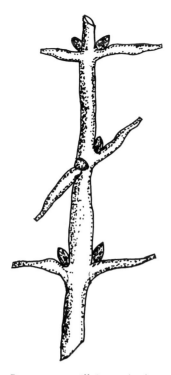

Bourgeons axillaires près du pétiole du limbe

d'eau pendant quelques jours, non seulement ne sera pas nuisible, mais permettra aux racines d'absorber une eau riche en sels minéraux et favorisera donc une circulation plus fluide de la sève, très utile pendant cette période de génération des feuilles.

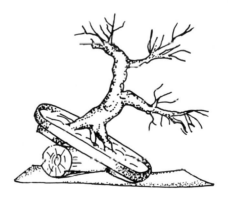

Pot penché pour faciliter la circulation de la sève de la plante effeuillée

Ce que l'on obtient aussi par l'effeuillage est la miniaturisation des feuilles. Un exemple permettra de mieux comprendre: admettons que l'on ait une branche d'érable avec 8 feuilles et 4 entre-nœuds. La branche réalise la photosynthèse et respire avec la surface des 8 feuilles. Si chaque feuille a une surface de 9 centimètres carrés, la surface totale sera de 72 centimètres carrés. Avec l'effeuillage et l'écimage temporaire du dernier entre-nœud, on stimule immédiatement 6 yeux dormants qui vont essayer de reconstruire en peu de temps les 72 centimètres carrés de surface perdue.

Chaque bourgeon aura au moins un entre-nœud avec 2 feuilles. Il y aura, par conséquent, 12 nouvelles feuilles,

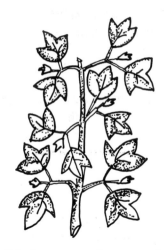

Développement des yeux dormants sur la branche à 8 feuilles après les opérations d'écimage et d'effeuillage

sûrement plus petites que les dernières pour les raisons suivantes:

- 72 centimètres carrés: 12 feuilles = 6 centimètres carrés par feuille et non plus 9 centimètres carrés;
- dès qu'elles bourgeonnent, elles doivent immédiatement réaliser la fonction chlorophyllienne et, pour pouvoir être efficaces, vont réduire leur temps de croissance;
- le climat étant plus chaud qu'au printemps, il y aura plus d'évaporation et moins d'eau disponible pour le développement du limbe;
- la lumière étant plus intense, il suffit par conséquent d'une surface moins importante qu'au printemps pour capter la même quantité de photons.

Un autre avantage de l'effeuillage, pratiqué au bon moment et sur des arbres adaptés, est celui d'obtenir une ramification plus épaisse (6 bourgeons vont se développer sur la branche pour donner naissance à des rameaux).

Il ne faut pas effeuiller les branches délicates et minces qui ne doivent pas être éliminées. Il est préférable de les écimer. Cela permettra à la sève d'augmenter son flux vers ces rameaux, qui, avec les feuilles, se fortifieront.

Grâce à l'effeuillage, le feuillage d'un bonsaï peut donc être équilibré avec le double avantage d'améliorer l'aspect esthétique de la plante et d'enrichir sa végétation. Il ne faut cependant pas oublier que la technique utilisée pour obtenir de petites feuilles implique l'épaississement de la ramification. L'opération doit donc être effectuée sur des arbres jeunes et forts. Si, en revanche, elle est pratiquée sur un arbre ancien qui n'a pas été rempoté depuis longtemps, elle peut provoquer la perte de certaines branches.

Il faut également tenir compte du fait que la miniaturisation provoque généralement un arrêt de la croissance et, même si elle augmente l'âge apparent de la plante, il est conseillé de la pratiquer sur les petits arbres déjà structurés qui ne demandent plus de grosse intervention et s'approchent de l'équilibre d'une plante adulte.

Au Japon, dans les jardins pépinières, personne ne se préoccupe de la miniaturisation des feuilles, à moins que la plante ne soit préparée pour une exposition. Dans ce cas uniquement on procède à la miniaturisation par des interventions soignées, en commençant l'année précédant l'exposition, dans le cas des conifères, et trois à quatre mois avant, dans le cas des arbres à feuilles caduques. Lorsque la plante est déjà rempotée dans une coupe pour bonsaï, il est déconseillé de l'ef-feuiller deux fois de suite (début juin et août), ou même une seule fois par an, pendant plusieurs années, car cela risquerait de l'affaiblir excessivement et d'altérer son équilibre.

Pour élever des bonsaïs, il est préférable de choisir des arbres présentant des caractéristiques particulières tel-les que:
- un système radiculaire bien ramifié;
- des entre-nœuds courts;
- des feuilles proportionnées à la hauteur du bonsaï que l'on veut obtenir;
- des arbres qui supportent d'être taillés pendant toute l'année (à éviter, donc, les juglandacées et les robi-niers).

Si la hauteur souhaitée de l'arbre est de 10-15 centimè-tres, il faut éviter les frênes et les châtaigniers, et choisir de préférence les genévriers et les troènes. Si en revan-che, la hauteur du bonsaï est de 80-100 centimètres, on ne songera certes pas à choisir un **Lonicera** aux feuilles de petites dimensions, mais plutôt un chêne, un érable ou une glycine. Les plantes à feuilles de petites dimen-sions sont idéales pour les petits bonsaïs, les plantes à feuilles plus grandes pour des exemplaires plus impo-sants.

La hauteur du bonsaï n'est pas, en effet, une règle. Elle est liée à la culture, à la sensibilité et aussi à la place dont chacun dispose.

Les Japonais évaluent le poids et les dimensions d'un bonsaï selon l'effort nécessaire à son déplacement: il existe ainsi des bonsaïs de deux hommes, d'un homme, de deux mains, d'une main et de cinq dans une main.

L'état de santé de l'arbre

L'arbre, qu'il soit petit ou grand, doit donner l'impres-sion d'être en bonne santé et ne pas trahir de carences ou de traumatismes. Les bords des feuilles séchés, jau-nis, ou abîmés par les insectes, la couleur des nervures des feuilles qui diffère de celle du limbe sont des indices de souffrance. La couleur des feuilles doit être brillante et correspondre à l'essence de l'arbre pendant son mo-ment le meilleur; les feuilles doivent être turgescentes, et non pas subtiles ou molles (la miniaturisation des feuilles joue un rôle fondamental sur la santé de la plante).

La lignification doit être régulière et la coloration de l'écorce des rameaux différente de celle du tronc qui doit être turgescent et puissant, avec une écorce propre, rugueuse. On ne doit pas voir des pousses ou des gourmands trop puissants proches de ramifications faibles, ni d'entre-nœuds irréguliers dans les branches.

Le sous-bois

Le sous-bois est très important, et pas seulement du point de vue esthétique. Il peut se composer de bruyères taillées, de mousses et de saxifrages de type divers, de petites fougères et de lichens. Les lichens sont particulièrement exigeants, car ils demandent une terre et un microclimat particulier: leur présence est donc l'indice d'un sol équilibré et adapté, d'un milieu non pollué. Le sous-bois doit se former et résister dans le temps.

Les mousses et les lichens

Le bonsaï est le coin de nature en miniature avec toutes ses caractéristiques et le pot doit en être le cadre. Lorsque l'on voit pousser des mousses, même de différents types, sur la surface de la terre du pot, et que l'on voit apparaître des lichens qui se placent entre les écailles de l'écorce ou sur les bords d'une grosse cicatrice, les plantes acquièrent de l'harmonie, un aspect vieilli et en même temps beaucoup de naturel.

Les mousses en gardant l'humidité favorisent, en outre une évaporation moindre du sol pendant les périodes chaudes, ce qui se révèle particulièrement utile pour les pots peu profonds: elles empêchent en effet, le réchauffement rapide et excessif du sol qui risque d'abîmer les racines du bonsaï.

La **mousse** dans un pot contenant des plantes jeunes ou rempotées depuis peu doit être très courte, distribuée en taches plus ou moins grosses, aux bords irréguliers. Ces plaques de mousse doivent laisser entrevoir des zones libres de terre ou de sable où des pierres seront placées de manière à faire ressortir le tronc ou la roche.

La mousse ne doit jamais être greffée en mottes qui risqueraient de ne pas bien adhérer à la surface de la terre et de dépérir par manque d'humidité. Lors de la greffe, les bords des mottes peuvent se superposer. Le manque d'oxygène et de lumière dans les endroits qui se sont superposés provoque le noircissement de cette partie par marcescence, et éventuellement du reste de la motte et de tout le pot.

Rhododendrum *(Azalée)*
Hauteur 48 cm. Coupe ovale non émaillée
(photographie de AB Antonio Buzzi)

Punica granatum
*Hauteur 50 cm. Coupe ronde non émaillée avec bossages
(photographie de AB Antonio Buzzi)*

Mousse ressemblant à un "petit pin"

Mousse "en rosette" semblable à la sphaigne

Mousse rampante

Le bord du pot doit rester bien visible et propre. Si la mousse tend à le couvrir, il faut l'enlever, car par un phénomène de capillarité l'eau de l'arrosage se répandrait vers l'extérieur, risquant de faire souffrir la plante. Il est faux de penser que la mousse suffoque les plantes en empêchant les racines de respirer. Il faut que tous les pots aient non seulement une bonne couche de drainage sur les orifices de base, mais également de la terre mélangée avec du sable, de la pierre ponce et de l'argile expansée broyées qui, grâce à sa porosité, laisse respirer la plante. L'épaisseur relative de la mousse ne peut pas gêner l'aération. S'il est assez facile de faire pousser de la mousse, il est, en revanche, plus difficile d'obtenir des **lichens** qui sont très sensibles à la pollution et poussent avec difficulté sur les balcons de nos appartements citadins.

Le lichen est le résultat de la symbiose d'une algue qui, au moment de la croissance, rencontre une spore de champignon en germination avec laquelle elle se développe. Ces algues nécessitent beaucoup d'humidité, et les champignons ont besoin d'un microclimat et d'un sol particuliers. Les lichens, une fois développés, résistent à la sécheresse et poussent sans problèmes, mais il est très difficile de les obtenir spontanément en pot, car le climat et la terre changent trop souvent. À la différence de la mousse, il faut les greffer.

Voici quelques techniques pour obtenir, dans les pots de bonsaïs, cette fine couche de mousse et de lichens tellement agréable à la vue.

Lors de promenades à la campagne, il faut cueillir sur les murs de briques ou dans les endroits où le sol est formé de couches très fines, cette mousse qui présente de petits filaments verticaux portant des feuilles minuscules. Elle ne rampe pas, n'est pas en rosette, ne ramifie pas comme la sphaigne, n'a pas l'aspect d'un petit pin. Souvent sur l'apex des tiges on voit une prolongation sans feuilles avec une urne qui contient les spores.

Les petites mottes de cette mousse semblent couvertes de fleurs microscopiques vert-marron.

Il faut prendre un peu de cette mousse et l'émietter. On prépare ensuite la surface du pot. On étale en surface une petite couche (1 ou 2 millimètres de sable fin) mélangé à 10-20% de terre de bruyère sur laquelle on "sème" la mousse émiettée. Ensuite on dispose quelques petites mottes très espacées les unes des autres. Il faut choisir des mottes sur lesquelles, à côté de la mousse, pousse du lichen. Il est généralement possible de trou-

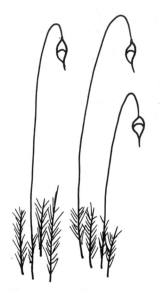

Mousse adaptée

Lichen vert bleuté avec ses corps fructifères

ver ces petites mottes à une altitude comprise entre 800 et 1800 mètres, dans les sols d'éboulis, pauvres, pierreux, et parfois nettement ferreux qui ne sont pas encore envahis par les mauvaises herbes. Il est facile d'en trouver également dans les petites crevasses, dans les amas de pierres où se sont précédemment déposés des feuilles et des déchets organiques qui reprennent ainsi le cycle biologique. On remarque souvent des lichens très intéressants dans les petites mottes de terre entre les pierres. Leurs corps fructifères ressemblent à de petites trompettes gris-bleu qui dépassent de 5 à 10 millimètres la couche gris-vert formée par l'algue et les hyphes [1] des champignons en croissance.

On trouve presque toujours à côté de ces implantations de lichens de la mousse qui, en mourant, a laissé sa substance organique au champignon du lichen.

On tasse légèrement les petites mottes (deux ou trois par pot) espacées les unes des autres et l'on recouvre le tout d'une pellicule de sable de rivière très fin. Il faut ensuite vaporiser avec de l'eau et du bout des doigts, tasser délicatement une seconde fois. Pendant les deux semaines suivantes, il faut arroser légèrement avec un vaporisateur pour ne pas altérer la couche superficielle. En peu de temps, la mousse commence à se développer et à s'unir au lichen. Quarante-cinquante jours plus tard, la surface du pot est homogème et harmonieuse. Comme toujours, l'eau employée pour les arrosages doit être de l'eau de pluie ou une eau qui lui ressemble chimiquement, c'est-à-dire sans calcaire, ni désinfectants, ni chlore.

S'il est assez facile de faire pousser de la mousse, il est plus difficile, surtout en ville, d'obtenir des lichens, car, comme je l'ai dit précédemment, ces derniers sont très sensibles à la pollution.

Ne greffez pas et ne semez pas la mousse directement sur la terre, mais utilisez toujours une petite couche de sable et de terre de bruyère qu'il faut arroser par vaporisation, en dehors des arrosages habituels, au moins deux ou trois fois par jour. Il n'est pas indispensable de garder le pot à l'ombre. Dès qu'elle est bien développée, la mousse résiste bien même en plein soleil.

Dans les récipients des petits bonsaïs, la mousse doit être courte et jeune, issue de spores. Elle ne doit pas re-

---

[1] **Hyphe:** c'est ainsi que l'on qualifie le filament constitutif du mycélium des champignons. L'hyphe est dépourvu de chlorophylle.

couvrir toute la surface de la terre du pot, mais se présenter par taches irrégulières, sauf si la base du tronc est bien visible et dépasse les bords du pot.

Il est préférable que la mousse ne se développe pas trop près du pied du petit bonsaï. Elle doit former avec les lichens des taches aux couleurs nuancées, à quelque distance de la base du pied, de manière à ne pas couvrir les racines de la plante volontairement exposées et à ne pas cacher la conicité du tronc. Les bonsaïs plus imposants requièrent moins d'attention. Les dimensions du tronc ou du feuillage supportent bien des mousses plus épaisses et des mottes plus gonflées qui, en créant du mouvement sur la surface plate du pot, ajoutent une touche de naturel à l'ensemble de la composition. Ces petits coussins de mousse se développent davantage dans les endroits où l'on a placé des mottes recouvertes ensuite par une fine couche de sable au moment de la préparation. Pour ces bonsaïs, il est mieux d'avoir un sous-bois composé d'une certaine variété de mousse, mais toujours avec une prédominance de mousses fines.

Pour les bonsaïs à écorce rugueuse et écailleuse (pins, sapins, mélèzes, châtaigniers, chênes, et aussi ormes ou ronces), il est préférable, pendant les périodes pluvieuses de printemps et d'automne, d'émietter à la base du tronc et sur ses plissements, des petits morceaux de lichens.

C'est au cours de ces périodes que les algues se développent sur le tronc et, en s'unissant aux spores ou aux hyphes du champignon, donnent naissance à ces taches de lichen caractéristiques des vieux arbres. Mais, encore une fois, attention à la pollution!

Le pot

Le choix du pot (ou coupe) est particulièrement délicat. Les Japonais laissent les pots à l'extérieur pendant longtemps pour pouvoir leur donner un aspect ancien; il est, en effet, désagréable de voir un arbre ancien dans un pot neuf.

Il existe des règles générales très importantes à ne pas oublier, mais ce qui compte le plus est le goût de l'amateur.

Les conifères exigent des pots non émaillés. Le seul pot émaillé acceptable pour certains conifères, comme le **Cedrus atlantica glauca,** pourrait être un pot de couleur bleu foncé. Les plantes à feuilles caduques s'adaptent, en revanche, à tous les types de pots émaillés.

La couleur du pot

Si l'on choisit la teinte beige clair, on peut être sûr de ne pas se tromper, car elle ne peut contraster avec la couleur des feuilles, des fleurs ou des fruits. Il y a, cependant, des tons qui contribuent à mettre en évidence les caractéristiques des différentes espèces. Par exemple:
- un **gris-bleu cendré** ou un **bleu foncé mat** font ressortir le tronc gris de certains hêtres ou pommiers;
- un **vert** est extrêmement agréable pour les abricotiers et les pruniers;
- un **bleu,** lorsqu'il n'est pas trop vif, est très beau pour rehausser le ton des feuilles d'automne jaune brunâtre des **Zelcova** ou jaune-vert des chênes;
- un **bleu foncé** fait ressortir la floraison des forsythias ou les baies rouges du **cotoneaster;**
- un **vert clair** fait apparaître plus délicats l'orme et les riches floraisons du cerisier et de l'aubépine.

La forme du pot

La forme s'adaptant le plus aux différentes espèces et indiquée pour tout type de feuillage est la forme **ovale.**
Cependant, il ne faut pas oublier que les feuillages triangulaires ou rigides exigent des pots à **arêtes vives;** les feuillages arrondis des pots ovales ou à **contours arrondis.**
Le pot **rond** est préférable pour les bonsaïs n'ayant pas une partie frontale bien déterminée. Il est souvent utilisé pour les plantes à fleurs. En raison de la taille annuelle importante faite pour obtenir une riche floraison, les plantes à fleurs ont, en effet, besoin de pouvoir être observées selon des angles différents, ce qui ne serait pas possible avec des pots rectangulaires ou ovales.
Pour les **bosquets,** le pot doit être toujours large et peu profond. Les **forêts** sur dalles de pierre sont très belles.
La longueur maximale du pot dépend de la hauteur de la plante et devrait correspondre à environ deux tiers de celle-ci; de même, sa profondeur doit tenir compte des dimensions du tronc: les gros troncs nécessitent des pots profonds et massifs, alors que les tiges de petit diamètre s'accommodent de pots peu profonds et larges pour ne pas alourdir l'ensemble.
Les bonsaïs **literati** exigent, en règle générale, des pots évasés peu profonds et peu voyants pour faire rehausser au maximum la ligne nette, caractéristique essentielle de l'arbre.

Les **cascades** ou les **semi-cascades** exigent des pots profonds pour donner plus de stabilité à l'ensemble. Un feuillage en cascade avec un petit tronc nécessite un pot très carré; un feuillage en cascade avec un gros tronc demande un pot rond, octagonal ou hexagonal (rarement carré), mais pas trop haut. Des choix trop standardisés donnent toujours des résultats peu personnels et ne créent pas le cadre juste pour l'arbre. Je voudrais souligner que la projection verticale du feuillage ne devrait pas, dans la mesure du possible, dépasser la surface du pot.

L'emplacement de la plante

Si le pot est rond, la plante est habituellement placée au centre. Il n'en est pas ainsi pour les pots rectangulaires ou ovales. La règle générale est de tracer des axes cartésiens imaginaires à la surface du pot, de manière à le partager en quatre cadrans. Pour placer le tronc, il faudra choisir un point du premier ou du deuxième cadran qui soit le plus proche possible de la ligne qui le sépare du troisième ou du quatrième, en se basant sur la position de la branche principale, vers la gauche ou vers la droite de l'observateur, le tronc sera plus ou moins proche du centre, par rapport à la longueur des autres branches mais jamais sur le centre.

L'ombre de l'arbre, lorsque le soleil est au zénith, ne doit jamais déborder excessivement de la surface du pot. Si la plante est inclinée à droite, elle sera positionnée à gauche et vice versa, selon le volume optique du feuillage.

Pour les arbres dont les racines ne permettent pas de les placer correctement, il faut retrouver un équilibre optique. On crée dans ce but un autre point focal en utilisant des pierres, des herbes ou d'autres petits arbres, pour ne rien enlever à la plante principale.

Diverses indications pratiques pour l'achat d'un bonsaï

Le pré-bonsaï

Celui qui s'intéresse pour la première fois à l'art du bonsaï est confronté à certaines définitions assez particulières et souvent arbitraires.

La première concerne le **pré-bonsaï**. Bien qu'à mon avis le terme n'ait pas de signification, car toute plante est un pré-bonsaï à partir du moment où elle est élevée pour obtenir un arbre en pot et, comme le bonsaï n'est jamais terminé, on peut se demander à quel moment il devient bonsaï. On pourrait répondre que par le terme pré-bonsaï on veut indiquer les plantes déjà rempotées, aux essences adaptées, grossièrement taillées en vue d'obtenir un feuillage concentré et enrichir la ramification. Ce sont des plantes de quelques années obtenues par semis ou bouturage, ou de petits arbres greffés sur pied de deux ou trois ans. Mais le terme pré-bonsaï peut-il justifier le prix demandé? S'agit-il d'un mot inventé en Occident pour commercialiser quelque chose de connu, en le proposant comme nouveau? L'idée est positive, mais elle ne correspond pas toujours au prix que l'on demande pour une plante définie comme pré-bonsaï et qui risque de décevoir le débutant. En effet, il arrive souvent des choses absurdes et contradictoires en ce qui concerne le prix d'une même plante, selon qu'elle est vendue en pépinière en tant que pré-bonsaï ou en tant que véritable bonsaï.

Si vous êtes attiré par la technique du bonsaï, essayez de l'apprendre avec un esprit critique, de manière à comprendre la valeur réelle du bonsaï. Il ne suffit pas d'être attiré, il faut lire, voir, étudier les catalogues des expositions, et penser que le plus beau bonsaï est celui avec lequel on communique et que l'on met en forme en partant d'une plante que l'on aime. Ces précisions sont le fruit de constatations et d'expériences vécues. Il peut arriver qu'un néophyte voit son enthousiasme refroidi et qu'il s'éloigne de l'art du bonsaï ou, inversement, qu'il admire uniquement les œuvres très belles justifiant un prix élevé et qui restent réservées à une élite.

En ce qui concerne la **capacité** de maîtriser la technique des bonsaïs, il est nécessaire de mettre les choses au clair. Il est vrai que le bonsaï n'est jamais terminé; il est vrai qu'il faut du temps pour transformer une plante en bonsaï; mais il est vrai que chaque phase de la croissance d'un bonsaï est une source de joie.

L'âge du bonsaï

Une autre manière d'attirer l'attention du public est d'attribuer un âge au bonsaï. Parfois, on se limite à le déclarer de vive voix, mais souvent sur les étiquettes, portant le nom de la plante, on lit la mention: "arbre de neuf ans", "arbre de vingt ans", etc. Il faut remarquer que l'âge est toujours donné pour des plantes en vente.

Or ces dernières avant d'arriver sur le marché sont passées du pépiniériste au cultivateur de bonsaïs au premier vendeur, à l'importateur, au premier grossiste et, enfin, au magasin et à l'amateur.

Lors d'une exposition de très haut niveau au Palais du Gouvernement de Tokyo, en juillet 1984, l'âge de certains spécimens avait été spécifié et ils n'étaient pas en vente. Cette coutume s'explique lorsque l'on sait que l'âge d'un bonsaï n'est dévoilé que s'il appartient à une certaine famille depuis des générations et, de ce fait, considéré comme une grande richesse. On indique également l'âge, s'il a été signalé en tant que chef-d'œuvre dans une exposition importante. Lors de ces occasions, des experts en botanique, attribuent aux bonsaïs un âge approximatif qui est sûrement très proche de l'âge réel. À partir de ce premier examen, l'âge des spécimens exposés est enregistré régulièrement tous les ans. Il ne faut pas oublier que le bonsaï est beau lorsqu'il exprime de la personnalité et une expérience de la vie, indépendamment de l'âge réel: il vaut mieux posséder un beau bonsaï jeune qu'un vieux bonsaï laid.

L'âge d'un bonsaï est l'âge qu'il montre. C'est une donnée très subjective qui peut même varier selon les différentes saisons de l'année, selon la sensibilité de l'amateur. Il n'est possible de déterminer l'âge exact d'un bonsaï que lorsque l'on connaît l'année de germination de la graine.

Faire un bonsaï signifie appliquer sur la plante des techniques d'intervention qui lui permettront d'atteindre l'équilibre de la plante adulte. Ces interventions doivent correspondre à l'action exercée par la nature au cours du cycle biologique normal de l'arbre. Les interventions humaines sont limitées à une période de temps spécifique et sont toujours dosées de manière à respecter la physiologie de la plante. Ceci permet de réduire remarquablement la période de temps nécessaire au bonsaï pour atteindre l'équilibre d'une plante adulte. L'âge du bonsaï est donc apparent et trop souvent il est déterminé au hasard et exagéré.

L'âge de l'arbre est l'âge que l'individu qui l'observe lui donne et, étant une donnée très subjective, il vaut mieux ne pas lever le voile de mystère. Le bonsaï gardera ainsi cette auréole de charme impalpable, liée à l'imagination qui permet de mieux comprendre son expression dans ses multiples facettes artistiques, religieuses, culturelles, techniques, etc., et qui fait penser en même temps à quelque chose de secret et d'unique.

Les styles

Les Japonais ont codifié des règles qui, comme celles de l'ikebana, définissent les caractéristiques de certaines formes de bonsaïs. C'est ainsi que sont nés les styles qui, à mon avis, avec l'influence de la culture américaine et européenne, sont en train de perdre leur signification précise. John Naka affirme qu'à chaque fois que l'on met en forme un bonsaï, il faut garder à l'esprit le dessin d'une plante réelle et ne pas oublier que la nature, dans son ordre global, ne suit pas des règles strictes valables pour tous les êtres, mais qu'elle respecte une exigence de vie bien plus complexe.

On remarque, en effet, que nos plantes les plus belles sont des spécimens splendides et uniques se retrouvant dans la nature, où l'harmonie de l'ensemble est donnée par une forme qui échappe à toute règle établie par l'homme pour s'intégrer dans un équilibre universel obtenu, à travers les siècles, grâce à l'évolution.

Dans les catalogues des expositions japonaises, certains spécimens d'arbres à feuilles caduques ont été définis comme étant de style droit formel, mais ils auraient également pu appartenir au style droit informel.

Chaque style suit des règles précises que, cependant, tous les grands maîtres interprètent à leur façon. De nombreux ouvrages, bien qu'ils soulignent l'existence de règles, n'expliquent rien de manière exhaustive; d'ailleurs les dessins que l'on y trouve font référence presque exclusivement au tronc. Ceux qui respectent les règles de trop près deviennent des techniciens et non des maîtres qui aiment l'art du bonsaï. Il est également difficile de tirer ces règles à partir des spécimens en exposition, les exceptions étant innombrables; les observer sur des plantes techniquement parfaites n'est pas satisfaisant non plus en raison de la sensation de froideur qu'elles transmettent. La perfection technique est difficile à accepter chez un être vivant, car elle est sans âme.

Le style droit formel (chokkan)

Ce style **chokkan** est caractéristique des plantes poussant dans les régions au climat tempéré ou l'alternance des saisons est peu ressentie. La plante pousse isolée,

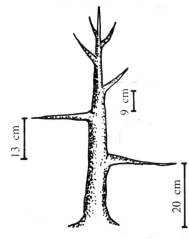

Schéma d'un arbre de style droit formel

Schéma d'un arbre en balai

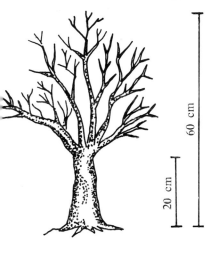

droite et puissante vers le ciel. C'est également le style de certains conifères, tel le sapin rouge qui, grâce à ses caractéristiques, garde sa forte personnalité jusque dans des régions très froides.

Le style est celui d'un arbre puissant. Sa rigidité le rend peu expressif. Un amateur de bonsaïs va difficilement avoir dans sa collection deux arbres d'une même essence structurés selon le style droit formel.

Si nous examinons un sapin rouge de 60 centimètres de hauteur qui suit un parfait style droit formel, nous pourrons constater qu'à 20 centimètres du sol la première branche se dirige vers la droite ou vers la gauche, ensuite, après 13 centimètres, la deuxième branche pousse à gauche ou à droite, puis à 9 centimètres de cette dernière, la branche arrière et, enfin, les autres branches qui auront des positions moins rigides.

Les plantes les plus indiquées pour suivre ce style sont les conifères. Aujourd'hui, on a tendance à ne pas suivre strictement la règle des positions des branches, afin de donner à l'arbre une allure plus naturelle.

Le style droit est moins employé sur les plantes à feuilles caduques. Il subit généralement des modifications, comme le style en balai, caractéristique des zelkoves.

Dans ce cas, le feuillage comprend plusieurs branches maîtresses qui on toutes pris naissance du même point de l'arbre correspondant d'habitude à un tiers de la hauteur totale. Pour obtenir un sapin droit, il faut de la précision et des capacités techniques lors des remplacements successifs de l'apex et du choix des branches latérales.

La forme en balai (*hōki-zukuai*)

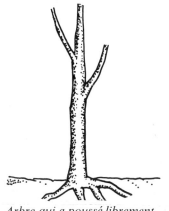

Arbre qui a poussé librement

Le **Zelkova** est l'arbre en balai le plus facile à obtenir. On plante un orme (en règle générale, **Zelkova serrata**) en pleine terre ou dans un gros pot et on le laisse pousser pendant quelques années, jusqu'à ce que le tronc ait atteint le diamètre souhaité.

Au printemps, on déracine l'arbre et on coupe les grosses racines, en étalant sur les coupes des hormones de bouturage. On réalise ensuite une coupe concave à la hauteur souhaitée, par exemple à 15 centimètres pour une plante qui sera haute de 40 à 45 centimètres environ. S'il n'est pas possible de faire une coupe concave, on scie le tronc en "V" et on lime les bavures à l'aide d'un couteau aiguisé.

On étale sur la cicatrice du tronc des hormones de bouturage. Je déconseille les cires ou les autres produits de

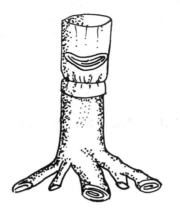

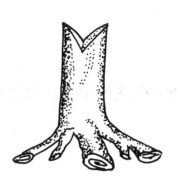

Protection de la partie supérieure   *Tronc coupé en "V"*

greffage. Il est vrai qu'ils forment une couche hydrofuge et qu'ils protègent la coupe, mais ils empêchent également le développement normal des cellules cicatrisantes.

On enveloppe la pointe supérieure du tronc avec une feuille rigide de carton de 10 centimètres de hauteur qui doit dépasser la coupe de 5 à 7 centimètres. Le carton doit être fixé au tronc avec un élastique ou une ficelle.

On plante l'arbre dans un petit pot rempli de terreau très sablonneux et on enterre le tout en pleine terre, ou dans un autre pot plus grand.

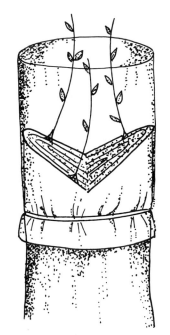

Les nouveaux bourgeons, protégés latéralement par le tube, poussent vers la lumière

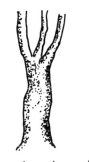

Les jeunes branches cachent la cicatrice

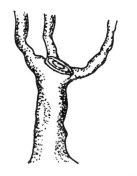

Si les branches poussaient librement, elles ne cacheraient pas la cicatrice

Le rempotage dans un récipient de petites dimensions est indispensable pour le développement d'un système radiculaire très ramifié, riche en capillaires proches de la base du tronc. Comme le feuillage a été éliminé, la coupe des racines ne compromet pas l'enracinement. On met la plante dans ce petit récipient, car si on l'enterrait dans un pot plus important ou en pleine terre, certaines radicelles pourraient prédominer sur les autres et former de grosses racines avec d'autres capillaires loin du tronc. Ceci n'est pas utile, si l'on veut rempoter ensuite la plante dans une coupe pour bonsaï.

La raison pour laquelle on préfère placer le petit pot dans un pot plus grand ou en pleine terre est d'éviter de brusques variations de température ou d'humidité qui nuiraient aux radicelles capillaires, au risque de les atrophier.

On garde la plante ainsi pendant un an ou deux; ensuite on la rempote dans un pot plus grand ou en pleine terre, afin de stimuler sa croissance. Une grosse masse de racines superficielles sera déjà formée et, si quelques racines capillaires se sont développées et transformées en grosses racines, elles pourront être éliminées sans problèmes.

Ainsi écimée, la plante aura tendance à régénérer son feuillage. On éliminera tous les bourgeons poussant le long du tronc, en gardant seulement ceux formés par les cellules du cambium. Lorsqu'au mois de mai les bourgeons sortent du tube en carton placé sur le tronc, on peut le retirer. On laissera pousser tous les bourgeons qui se seront formés sur la coupe. Les bourgeons qui poussent sur le bord de la cicatrice vont, en grossissant, cacher la blessure.

Si l'on n'enroule pas le tronc avec un tube de carton, on risque de ne pas cacher la cicatrice et le point d'attache des branches paraîtra moins naturel. Dès que le carton est enlevé, il faut se garder de toucher les jeunes bourgeons, sauf si l'on remarque que certains sont trop puissants. Il faut, dans ce cas, les arracher pour permettre à un nombre plus grand de petites branches de se développer de manière équilibrée.

Au mois d'août, pendant la pause d'été, il faut sélectionner les bourgeons qui vont former les branches principales du feuillage. Il suffit, ensuite, de tailler continuellement et si la plante est placée en pleine terre, en très peu d'années (trois ou quatre), on pourra obtenir des ramifications splendides qui seront par la suite taillées, afin de les adapter au pot pour bonsaï.

En effet, pendant la période de forte croissance, le feuillage tend souvent à pousser de manière déséquilibrée, au point que la taille n'arrive pas à corriger la différence de longueur des branches. Dans le pot, en revanche, avec la taille et d'autres techniques adaptées (effeuillage, inclinaison du pot, exposition à la lumière), il est possible de rendre la partie aérienne homogène et proportionnée.

Le style droit informel *(moyōgi)*

Ce style est typique des plantes vivant dans les régions où l'amplitude thermique est très importante. Ces plantes, communes en Europe, ont évolué au cours des siècles de manière à pouvoir fleurir et fructifier en été; le repos des graines pendant la saison froide stimule leur capacité de germination.

La germination a lieu au printemps, lorsque l'eau est abondante et que les substances nutritives contenues dans les cotylédons permettent un développement initial régulier. Si le terrain est adapté, la croissance sera très rapide.

L'été est de courte durée. En automne, les vents sont forts; la petite plante n'a pas encore une forte lignification, le poids des feuilles est excessif, le tronc se penche et se tord. Les feuilles des arbres voisins tombent sur elle, ensuite elle est couverte par la neige. La jeune plante pliée sous le poids excessif reste dans cette position jusqu'au printemps suivant, lorsqu'en bourgeonnant de nouveau, elle s'ouvrira un chemin vers la lumière.

Les traumatismes et les torsions subis laisseront leur traces. Le tronc de l'arbre sera difficilement droit, il présentera plutôt une forte sinuosité, plus accentuée sur la partie la plus basse du tronc (en raison de la forte croissance de la plante sans une lignification adaptée) et ce cours tortueux se développera dans toutes les directions possibles. Non seulement sur un plan comme les spécimens de **Juniperus chinensis** qui, malgré leur structure splendide, rappellent les arbres sacrés, idéalisés selon une interprétation magico-religieuse, mais dans les trois directions.

En observant les arbres croissant spontanément dans nos régions, nous remarquons que très peu d'entre eux sont droits; ils présentent presque toujours à la base un cours sinueux. Dans un beau bonsaï droit informel, le tronc légèrement incliné se dirige vers l'observateur, comme s'il se penchait devant lui. Les branches suivent

Genévrier de pépinière (photographie de Walter Bauducco)

Genévrier structuré de 15 cm (photographie de Walter Bauducco)

le même cours sinueux et une ligne imaginaire qui relie l'apex avec le centre de gravité terrestre doit passer par la base d'appui idéal, afin que la plante soit stable. C'est un style splendide.

*Un arbre écimé et planté légère-
ment incliné*

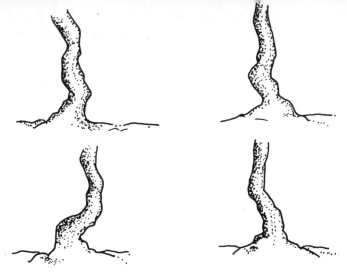

*Le bourgeon en bas sera élevé, ce-
lui en haut sera écimé*

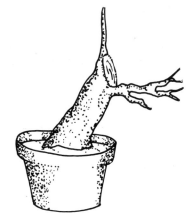

*Le résultat de cette intervention
répétée pendant quelques années*

Tous les conifères, mais également d'autres plantes, peuvent être structurés ainsi. Les possibilités de réalisation sont infinies et permettent toujours à l'amateur d'exprimer sa vision idéale de l'arbre. Même la position des branches ne suit pas une règle stricte. Il est important que les grosses branches soient proches de la base et qu'elles se situent, si possible, à l'extérieur de la courbe du tronc. L'aspect de l'arbre sera plus naturel, car le rameau, au début vertical, doit s'allonger et se plier pour atteindre la lumière que la cime lui cache. La branche alourdie à son extrémité par les feuilles et, en hiver, par la neige, devient un levier dont le point de rotation correspond au point d'attache de la branche au tronc.

Petit à petit, la branche se penche et le tronc pour équilibrer son centre de gravité se penche du côté opposé en formant ainsi une courbe où la branche se trouve à l'extérieur, comme dans les arbres anciens.

Grâce à la liberté naturelle propre à ce style, les formes des plantes ne se répètent jamais. Souvent l'expressivité de certains arbres est exaltée sans qu'ils apparaissent trop artificiels ni trop froidement techniques. En outre, il est possible d'utiliser de jeunes plantes insignifiantes et de les transformer en bonsaï: par exemple, en écimant un gros orme par une coupe transversale et en le plantant légèrement penché. On espère alors que, parmi les nombreux bourgeons, il en apparaîtra un sur la partie supérieure de la coupe. Si cela n'est pas le cas, on refait la coupe de manière à placer sur ce point un des bourgeons qui se sont développés plus loin. On laisse le bourgeon pousser librement; il formera l'apex et on choisit l'un des autres bourgeons pour structurer la branche latérale.

On répète la même opération, en remplaçant de nouveau l'apex. Quelques années plus tard on obtiendra un arbre avec plusieurs branches en position correcte.

Les arbres tourmentés par les vents *(fukinagashi)*

Cette plante représente une autre interprétation du bonsaï. C'est une plante qui vit sur les sommets des pentes abruptes et des falaises, dans les bruyères, là où les vents sont maîtres.
La réalisation du bonsaï peut se concevoir de deux façons différentes.

● Selon la première version, le tronc forme un angle de 60º maximum avec la surface du sol et se penche dans la même direction que les branches. Pour ces réalisations, aucune des branches ne se développe en s'opposant au vent. Ce ne serait pas naturel. On peut y placer à la rigueur des **jin.** Le feuillage rappelle sans équivoque un triangle où les côtés sont représentés par la ligne du tronc, par la première branche importante (la première à la base) et par la ligne imaginaire passant par les sommets décalés des branches.

● Dans une seconde version, la ligne du tronc s'oppose à la direction du vent. Dans ce cas, certaines branches, comme protégées par le tronc, poussent contre le vent sans dépasser la ligne verticale qui passe par le sommet de l'arbre, transformé souvent en **jin.** L'aspect triangulaire du feuillage est aussi très évident et le triangle qui le délimite est représenté par la perpendiculaire au sol,

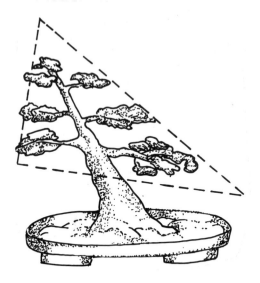

menée du sommet de l'arbre, par la ligne des deux branches principales opposées et par le segment imaginaire qui touche les extrémités des branches poussant dans la direction du vent.

La semi-cascade
(han-kengai)

Les arbres qui poussent dans les régions froides sont souvent très penchés, comme couchés sur le sol; ils trouvent sur la terre ou la roche à laquelle ils s'appuient la chaleur nécessaire pour se développer. Chaque branche s'éloignant vers le haut témoigne d'un combat contre le froid. La terre ou la roche chauffent plus que l'air et fournissent à la plante la chaleur indispensable. Les espèces les mieux adaptées à ce style sont certaines variétés de conifères et notamment les genévriers, mais aussi quelques types de plantes à feuilles caduques telles les glycines, les **Cotoneaster.**

L'apex et la base du tronc suivent une ligne parallèle au sol. L'arbre doit être placé dans un pot assez profond, hexagonal, carré ou rond et, comme pour les cascades, si le tronc est petit, on choisira un pot carré et l'on disposera la plante de manière à placer l'angle du pot vers l'observateur. L'effet massif du pot est ainsi réduit et, grâce à l'angle, on valorise la sinuosité du tronc.

Malus crabapple
Hauteur 60 cm. Coupe chinoise vernissée. Exemple rare d'une plante à fleurs s'adaptant parfaitement à une coupe vernissée (photographie de AB Antonio Buzzi)

Acer buergerianum
*Hauteur 75 cm. Coupe rectangulaire bleue qui fait ressortir le tronc
(photographie de AB Antonio Buzzi)*

Genévrier de pépinière. Hauteur 35 cm, diamètre 2,5 cm. Il faut remarquer que la branche en bas sera transformée en jin. L'apex sera tourné de manière à créer un des sommets du triangle (photographie de Walter Bauducco)

Genévrier style demi-cascade déjà placé dans une coupe pour bonsaï. Hauteur 8 cm, longueur 25 cm (photographie de Walter Bauducco)

La cascade
(kengai)

La cascade n'est pas très naturelle. C'est une caractéristique des plantes poussant dans les régions froides, comme les genévriers, qui enveloppent la roche pour exploiter sa chaleur. On la retrouve également chez certains arbres qui, en raison de certains chocs (tempêtes, avalanches, éboulements, etc.), ont été partiellement déracinés et pliés dans le vide d'un précipice; leur force leur a permis de survivre.

À la base de l'arbre, se développent généralement des gourmands qui, dans un deuxième temps, vont créer un nouvel apex. Nous aurons dans ce cas deux arbres: le premier, dirigé vers le bas, forme la cascade et le second tend à recréer vers le haut la position naturelle de l'arbre. Le plan imaginaire qui les unit se transforme en une verticale dans la direction de l'observateur, cette ligne devant passer par le centre du pied de l'arbre.

Cotoneaster déjà structuré, mais encore dans un pot de culture. Hauteur 15 cm, longueur 55 cm (photographie de Walter Bauducco)

Cotoneaster de pépinière. Hauteur 70 cm, diamètre 3,5 cm. Il sera transformé en "cascade". Une seule des trois branches maîtresses sera choisie pour créer l'apex (photographie de Walter Bauducco)

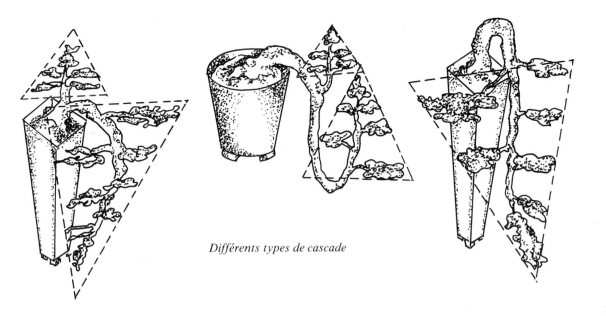

Différents types de cascade

Les arbres accrochés au rocher *(ishizuke)*

La plante pousse en profitant du peu de terre qui recouvre la couche rocheuse. Les mauvaises conditions atmosphériques enlèvent la terre et découvrent les racines solidement ancrées au rocher. Le point focal de l'ensemble est constitué par le rocher emprisonné par les racines puissantes de l'arbre. Il a souvent une forme et des couleurs intéressantes.

Il existe des techniques de réalisation très différentes. La méthode que je vais mentionner est peut-être la plus pratique et elle donne de très bons résultats, surtout si l'on utilise des érables (**Acer trident**) ou des érables champêtres. Il faut au moins 4 ans pour obtenir une bonne base et 3 ans pour la réalisation du feuillage; passé un délai de 7 ans, on obtient de petites plantes qui promettent et passé 10 ou 12 ans des spécimens exceptionnels.

Au printemps, après avoir stimulé convenablement la germination, on sème des érables dans un grand pot de terre légère contenant au moins 40% de sable. On les laisse pousser pendant un an et l'on cherche, entretemps, un rocher intéressant par sa forme et sa couleur. Au printemps suivant, avant le réveil, on enlève les petites plantes du pot sans toucher les racines qui, grâce à la composition de la terre dans laquelle elles ont poussé, seront très longues. On dispose sur le rocher les racines d'une ou de plusieurs plantes de manière irrégulière en faisant en sorte qu'elles l'enveloppent et dépassent la limite inférieure. On enveloppe ensuite le tout dans une

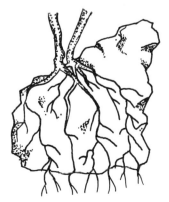

Disposition des racines sur le rocher

51

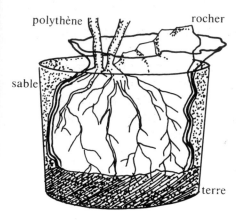

Comment placer la plante accrochée au rocher dans le pot

Types de pierre servant à créer un bonsaï accroché au rocher

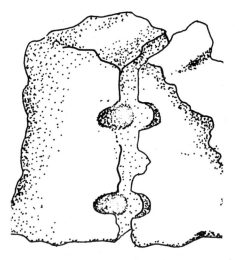

feuille de polyéthylène, en laissant libre la partie supérieure et inférieure. On remplit le fond d'un grand pot de 5 à 10 centimètres de terre riche, mais sans être lourde. On y place le rocher de manière que les racines capillaires touchent la terre.

Pour que les racines, encore faibles, se modèlent sur la roche il faut ajouter une certaine quantité de sable entre les parois du pot et la surface de la feuille de polyéthylène. Seules les racines capillaires touchant la terre au fond du pot vont se développer en envoyant les substances nutritives à la partie supérieure. En raison du manque de substances nutritives, de nombreuses racines capillaires vont s'atrophier et il ne s'en formera sûrement pas d'autres. On laisse alors la plante pousser sans la tailler.

Au troisième printemps, on dépote, on ajoute de la terre au fond du pot et l'on enlève éventuellement la feuille en matière plastique. Il faut cependant protéger quelques jours encore les racines qui auront déjà adhéré à la pierre avec de la mousse ou un torchon humide. On laisse pousser sans tailler.

Au quatrième printemps, si le tronc et les racines sont assez intéressants, on écime la petite plante et l'on commence à recréer le feuillage. Pour obtenir le feuillage, le travail peut ressembler à celui décrit pour structurer un arbre à tronc droit informel; les délais sont cependant moins longs, car les soins sont moins précis. Le point focal est constitué par la base, les racines et le rocher. Les branches sont moins liées à des règles particulières. Pour réaliser un bonsaï accroché au rocher, on utilise généralement un bloc de lave ou de pierre ponce ayant une base stable. À l'aide d'un burin, on creuse de petits cratères pour y placer les plantes ainsi que de petits trous dans lesquels on fera adhérer par la suite un petit morceau de plomb comportant au milieu un fil de cuivre qui servira pour bien ancrer les plantes.

On applique cette technique pour les plantes de petites dimensions: il est possible de créer un ensemble intéressant avec des **Cryptomeria,** des azalées et des sapins. Un effet encore plus intéressant peut être obtenu avec une grosse plante qui, à partir d'une crevasse du rocher, laisse pendre son feuillage dans le vide. Pour la réalisation de ce bonsaï, on procède de la façon indiquée ci-dessous.

On fait pousser un cotoneaster, un érable trident ou un **Juniperus,** dans un récipient long et étroit (comme un tube en plastique de 3 centimètres de diamètre et de 15

centimètres de longueur placé sur un pot avec un bon terreau).

On choisit à ce moment-là deux pierres originales de dimensions différentes. Il est préférable que les deux faces des parties frontales puissent s'encastrer légèrement l'une dans l'autre. On creuse ensuite à l'aide d'un burin de petites niches placées symétriquement sur les faces qui se touchent.

On coupe ensuite le tube en plastique contenant les petites plantes et l'on place le triangle de terre avec les racines entre les deux pierres, en laissant libre la partie inférieure. On rapproche les deux pierres, en les serrant le plus possible avec un fil métallique qui sera enlevé une fois le travail terminé. On prépare alors un peu de ciment ou de mastic adaptés à l'opération, avec lequel seront fixés des petits fers en forme de S dans les niches précédemment creusées.

Enfin, on fait adhérer, sur le même matériel utilisé pour fixer les petits fers, des écailles de pierre distribuées de manière asymétrique. Le résultat récompensera de ce long travail de préparation.

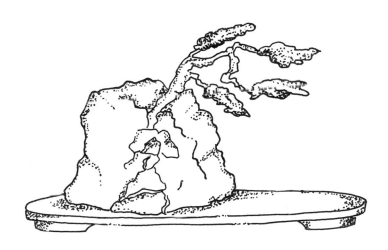

Le tronc mort qui revit

Il est possible de trouver dans les régions arides ou au climat inhospitalier des conifères, notamment des genévriers, dont le tronc est mort et blanchi par le soleil. Sur ce tronc ont cependant survécu de petites canalisations encore actives qui ont résisté aux adversités et qui ont ainsi permis à quelques branches de rester en vie. Ces bonsaïs ne valorisent pas seulement l'âge de la plante, mais aussi toutes les adversités surmontées par l'énergie vitale. Il s'agit de plantes extrêmement intéressantes et grâce à leur expression fortement naturelle, leur cours

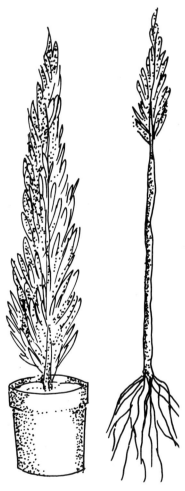

Le genévrier au moment de l'achat. Son tronc est droit

Le genévrier après la taille

tortueux présent jusque dans les parties séchées n'est pas lié à des règles particulières.

Il est possible d'obtenir en quelques années ce que la nature a réalisé en plusieurs décennies.

On peut parfois faire des expériences assez singulières, comme celle que je vais vous décrire.

Au mois d'août en haute montagne, j'avais cueilli deux spécimens splendides de genévrier et j'avais suivi toutes les précautions nécessaires à leur enracinement; en automne, les choses semblaient en bonne voie. Mais l'hiver, sec et sans neige (pendant environ deux semaines, la température varia entre -12°C et -19°C) fut très dur. Au printemps, les deux genévriers avaient commencé à dépérir. Ils réussirent très lentement à faire pousser des aiguilles pour sécher ensuite définitivement. Pourtant je me gardai de les jeter. Vers la fin du mois de mai, en observant attentivement certaines diapositives de bonsaïs faites au Japon, j'eus une idée. Je pris l'un des deux troncs de génévrier désormais mort et, avec beaucoup de patience, en utilisant une gouge, un couteau et un burin, je creusai dans le tronc un canal de la profondeur d'un doigt qui en suivait le cours sinueux. J'achetai dans une pépinière un genévrier du même type que l'arbre cueilli en montagne. Le nouvel arbre avait une forme droite, mesurait environ 50 centimètres et avait un seul tronc de la largeur d'un crayon, mais pas trop fin. Je le dépotai et coupai toutes ses branches, en gardant seulement le sommet. Avec de légères torsions, j'essayai de le rendre un peu plus flexible. Je ne coupai pas du tout les racines, en me limitant à les débarrasser de la terre. J'avais remarqué, que lorsque l'on travaille avec les conifères, il faut exécuter les opérations sur le feuillage et sur les racines en deux temps pour ne pas avoir de surprises désagréables. Ensuite, j'ai fait adhérer le petit tronc de la plante dans la cannelure du tronc mort en la fixant avec des rubans de manière à ne pas scier l'écorce. Je plantai le petit genévrier lié à son support dans un grand pot avec du terreau léger, mais riche en substances nutritives. La prothèse appliquée au vieux tronc bientôt donna des signes de réussite. Vers la fin de juillet, je remarquai que le petit tronc de la plante vivante avait adhéré au tronc sec et que sur certains points il semblait déjà en faire partie, débordant de la cannelure (comme s'il était effectivement composé de faisceaux encore actifs du vieux tronc).

Je laissai pousser la cime sans intervenir, alors que j'éliminai les petits bourgeons qui apparaissaient sur le

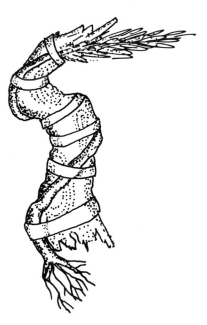

Deux troncs fixés par des rubans

tronc. À la fin du mois de septembre, j'enlevai un grand nombre des rubans qui fixaient les deux troncs, en en ajoutant d'autres aux endroits nécessaires. La prothèse promettait beaucoup et déjà les deux troncs fusionnaient progressivement.

Dans quelques années, en récompense de mon travail, j'aurai sûrement un spécimen précieux et intéressant, un bonsaï dont la nature a créé la base et une personnalité à qui j'ai redonné la vie.

Cette expérience m'a appris entre autres que ce travail ne pourrait se faire sur des arbres dont le bois est trop tendre et facilement putréfiable; en définitive, ce ne sont que les genévriers et quelques autres conifères qui se prêtent à une telle technique. J'ai maintenant travaillé le deuxième tronc en y attachant une nouvelle plante et j'attends le résultat qui sera sûrement positif, comme le précédent.

Les groupes

Il y a différentes façons de regrouper les arbres. Leur nombre ne doit pas être élevé; il est presque toujours impair, de préférence premier, car ce sont les nombres essentiels avec lesquels on peut écrire tous les autres. On peut malgré tout réaliser des groupes avec un nombre pair d'arbres, même s'ils sont assez rares. Très rares sont les compositions à **quatre** arbres. John Naka dit que le numéro quatre indique la mort. Les nombres les plus communs sont donc le 2, 3, 6, 7, 9, 11, 13. Dans l'ikebana, art d'origine japonaise, le numéro sept indique le malheur, par conséquent dans un bois bonsaï on distingue nettement deux groupes d'arbres: un de cinq et un de deux. Le numéro neuf est lui aussi à éviter (ce n'est pas un nombre premier, même s'il est magique, car il est divisible par 3). Si l'on emploie dans la formation du bois neuf arbres, il faut créer trois groupes chacun de trois troncs, ou bien trois groupes disposés selon cet ordre: 5, 2, 2.

Cotoneaster de pépinière de trois ans. Hauteur 35 cm (photographie de Walter Bauducco)

Un des Cotoneaster précédents élevé selon le style droit pour créer un petit bois. Hauteur 25 cm, diamètre du tronc 1 cm (photographie de Walter Bauducco)

Bosquet de Cotoneaster obtenu après avoir structuré les plantes de la photographie ci-dessus. Les troncs doubles ont été séparé. Le bosquet mesure 25 cm de haut (photographie de Walter Bauducco)

Les deux arbres peuvent être des plantes séparées ou attachées. Ils s'appellent jumeaux (**sōju**), s'ils ont plus ou moins la même **hauteur** ou, s'ils ont un **âge** différent, mère et fille ou père et fils (**sōkan**) selon l'essence, à feuilles caduques ou conifères.

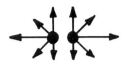

Les deux troncs jumeaux forment un seul feuillage et parmi les troncs il n'y a pas de branches qui se croisent. On peut résumer la position de leurs branches par le schéma ci-dessus.

Le tronc divisé, né d'une seule racine, est formé, en revanche, par un arbre généralement plus gros et plus haut et au tronc assez régulier, alors que le deuxième pousse dans l'espace que lui laisse le premier. Les deux plantes sont toujours de la même essence et sont structurées de la même manière.

Les arbres à plusieurs troncs qui partent d'une seule racine sont de deux types (**kabudachi** ou **ikadabuki**).

Dans le premier type, les troncs inégaux se ramifient à partir du même point, c'est-à-dire qu'ils ont le même pied.

Dans le deuxième type, les arbres prennent naissance d'un tronc-racine qui s'allonge tortueusement sur le sol. Les deux versions sont très communes dans la nature:

- la première se forme presque toujours, lorsque des troncs naissent sur la souche d'arbres coupés;
- la deuxième se forme avec des arbres qui ont été couchés par le vent, partiellement déracinés et qui ont appuyé leur tronc sur le sol. À partir de celui-ci d'autres branches se sont érigées, en se transformant successivement en troncs avec de nouvelles racines.

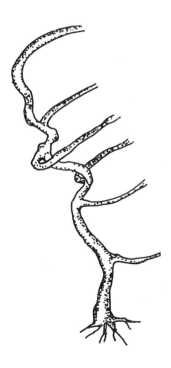

Pour obtenir un **kabudachi,** il faut couper une jeune plante au pied et élever les bourgeons qui s'y développent, ou bien lier plusieurs plantes au pied, de manière qu'elles s'unissent. On obtient de bons résultats avec les érables.

Pour obtenir un **ikadabuki,** on lie tout d'abord à l'aide d'un fil métallique le tronc principal de l'arbre au sol en lui donnant un cours tortueux. On donne à toutes les branches la même orientation, en les positionnant avec le fil.

On place ensuite la plante dans un gros récipient, de manière que le tronc soit enterré et que ses racines soient dirigées vers la paroi du récipient.

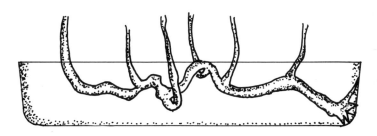

Quelque temps après, de nouvelles racines vont naître surtout aux points de torsions des branches qui deviendront des troncs. Les vieilles racines deviendront inutiles et l'on pourra couper la cime ainsi que la base de la plante d'origine. On obtient alors un groupe de troncs intéressant.

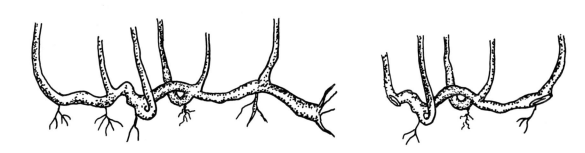

Les plantes séparées seront structurées pour former un bois ou une forêt miniaturisée (**yose-uyé**). Le récipient, toujours large et peu profond, peut être une dalle de pierre *(lauze)*.

Il existe certaines règles très intéressantes. Les plantes choisies pour un bosquet doivent être toutes de la même essence, de dimensions différentes et posséder des feuillages irréguliers.

On dessine une croix à la surface du pot, la divisant ainsi en quatre cadrans.

Pour placer les plantes, on choisit de préférence les deux cadrans arrière, le premier et le deuxième.

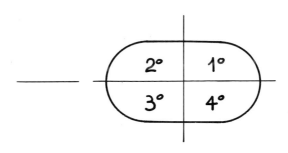

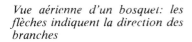

On place la première plante (ainsi que la deuxième et la troisième) plus importante, celle qui va constituer le point focal du bois, à droite ou à gauche par rapport au centre, sur la ligne de démarcation, ou légèrement en avant dans le troisième ou quatrième cadran.

On place ensuite les autres plantes de manière que tous les troncs soient visibles lorsque l'on observe l'ensemble à partir de deux directions perpendiculaires.

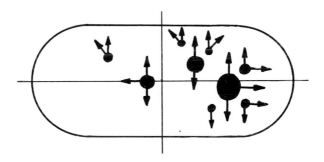

Vue aérienne d'un bosquet: les flèches indiquent la direction des branches

Les troncs des plantes plus importantes et plus grosses sont situés en avant, vers l'observateur; les plus petits en arrière pour créer de la profondeur.

L'**espace** entre les troncs ne doit jamais être égal. La **profondeur** est accentuée par l'espace vide dans le bois afin que le regard puisse pénétrer et avoir la juste sensation de la troisième dimension. Il est préférable qu'une partie de la surface latérale du pot reste libre. Les branches devraient se diriger toujours vers l'extérieur, sauf s'il s'agit d'arbres à feuilles caduques. Dans la forêt, le regard est attiré par le nombre de troncs: plus ils sont nombreux et moins il y a de branches; cela s'explique aussi par la nécessité de faire survivre de nombreuses plantes dans un pot de petites dimensions. Pour pouvoir le réaliser, il faut procéder à une taille sévère des racines ainsi que du feuillage. Tous les arbres forment un seul feuillage ou, à la limite, deux feuillages triangulaires aux dimensions différentes qui vont légèrement pénétrer l'un dans l'autre.

Lorsque les plantes sont jeunes et ont la même hauteur et la même dimension de tronc, leur nombre est élevé. On conseille de les planter en bouquets et d'espacer par la suite quelques parties latérales pour créer une liaison entre les groupes et conférer un aspect naturel à l'ensemble.

Dans un bois l'emplacement de chaque plante est en rapport avec les autres, les troncs doivent pour cette raison être structurés de manière équilibrée. Chaque arbre doit diriger son feuillage là où il peut recevoir de la lumière. Il existe fort peu de bois ou de forêts où les plantes peuvent être isolées de l'ensemble. Elles ont chacune un rôle précis là où elles sont placées.

Créer une forêt à l'aspect naturel est très difficile. Souvent il faut s'y prendre à plusieurs reprises. Parfois, lorsque tout semble parfait et que les plantes sont déjà bien ancrées, il faut recommencer et de nouveau attendre pendant des années.

Le bois semble tranquille et aéré, si les plantes sont préparées individuellement dans des pots les années précécentes. Il a plus de personnalité, si chaque plante croît à côté des autres et assume ainsi sa fonction dans l'ensemble. Il est opportun de planter les bois en caisse ou en pépinière et de les transférer quelques années après dans des récipients ou sur des lauzes.

Les herbes et les pierres

Pour recréer une image idéalisée d'un arbre, il faut éviter de le considérer comme un élément isolé, mais, au contraire, intégrer tous les éléments qui caractérisent son habitat naturel.

Un bonsaï doit sa grâce et sa poésie au cadre du pot et à certains éléments que l'on peut y associer comme, par exemple, de petites tables, des plateaux particuliers couverts de sable et d'eau, de longues plaques d'écorce coupées obliquement, sur lesquels on place les pots. Les éléments du paysage tels que les herbes et les pierres sont des détails fondamentaux. Ceux qui aiment réellement la nature ne peuvent s'empêcher d'admirer les bonsaïs accompagnés d'une herbe caractéristique, propre au milieu d'origine de la plante; l'imagination est fortement stimulée.

Les pots pour les herbes qui accompagnent les bonsaïs sont généralement petits, peu profonds, ovales, rectangulaires ou ronds, mais toujours émaillés. Leur couleur varie du bleu cendré au vert clair, du beige au bleu foncé. Cette couleur doit valoriser les feuilles et la riche floraison de l'herbe. Les herbes aromatiques, très communes dans la nature, sont à cet égard particulièrement intéressantes. Voici quelques-unes des herbes dignes d'être mises en valeur.

● **Fétuque (Festuca ovina).** Dans un petit pot rectangulaire ou carré, beige non uniforme ou bleu clair rocher, elle valorise un pin puissant en pot non émaillé.

● **Gentiane (Gentiana kolchiana).** Dans un large pot beige ou bleu, avec sa teinte bleu clair, elle anime un bois de hêtres ou ravive l'ombre d'un châtaignier.

● **Lazule (Luzula nivea).** Dans un pot ovale, vert, avec ses panaches argentés et ses feuilles légèrement poilues sur les bords, elle crée un très bon sous-bois pour un certain nombre de plantes à feuilles caduques.

● **Fougère (Ceterach officinale).** Dans un pot bleu ou vert lin, avec ses feuilles délicates, elle rend naturelle la floraison de l'azalée. Dans de petits récipients beiges, les fougères sont des compagnes très appréciées pour toute sorte de bonsaïs.

● **Thym (Thymus serpyllum et Thymus vulgaris)** sur dalle. Cette petite plante accompagne de manière parfaite, avec ses fleurs roses, un mélèze vigoureux qui s'élève dans un pot gris naturel.

● **Fraisier (Fragaria vesca).** Dans un pot peu profond, rond ou ovale, bleu clair ou beige, elle se marie parfaitement avec un bois d'ormes ou de zelcoves.

● **Saxifrage (surtout Saxifraga paniculata et Saxifraga rotundifolia).** Dans des pots peu profonds, ovales, ronds, verts, ou bleu clair, elles accompagnent bien les conifères.

● **Iris (Iris germanica).** Miniaturisé dans de petits pots rectangulaires, peu profonds, bleu clair, il crée un accompagnement poétique pour le pin à cinq feuilles et donne à l'ensemble une image de force.

● **Sédum (Sedum album).** Grâce à ses caractéristiques, il peut vivre sur les rochers et accompagner dignement les bois de sapins.

● **Pavot (Papaver alpinum).** Dans un pot rond, évasé et bleu cendré, cette herbe, aux feuilles vert bleuté et aux fleurs joyeuses par la forme et la couleur, soutenues par de longues tiges fines, accompagne un élégant genévrier ou bien un hêtre, style **literati.** Elle contraste avec un bonsaï massif de conifère.

● **Armoise (surtout Artemisia cemidiana et Artemisia canescens).** De teinte grise, elle ressort bien dans un pot bleu; elle est élégante et, par contraste de couleur, elle est indiquée pour les bonsaïs à feuillage sombre. Elle accompagne les hêtres, les ormes et les érables.

● **Sisyrinchium bermudianum.** Aux feuilles lancéolées, c'est un ami qui rend plus délicats les vigoureux pommiers pendant la période de floraison et au moment magique de la fructification.

● **Géranium (Pelargonium).** Plantes aux feuilles particulières et aux fleurs et parfum caractéristiques, les géraniums peuvent eux-mêmes devenir des bonsaïs et accompagner, même quand ils ne sont pas fleuris, toutes les plantes à feuilles caduques.

● **Menthe (Mentha).** La petite menthe forme un beau sous-bois pour une forêt de conifères et parfume agréablement l'air dès que l'on effleure son feuillage.

Certaines pierres rappellent par leur forme des paysages fantastiques, des tours créées par l'érosion, des chaînes de montagnes sillonnées de glaciers et de cascades, des promontoires sur la mer, des collines agréables ou des pentes abruptes contournant les bords d'un lac, des gorges profondes, des îles volcaniques apparaissant à la surface de la mer. Ce sont les **saikei** (de **sai** = roche et **kei** = eau). Ces pierres ainsi que les herbes créent autour du bonsaï une atmosphère particulièrement harmonieuse. L'imagination concrétise les éléments nuancés du paysage qu'elle crée en observant l'ensemble. En règle générale, les pierres sont placées sur de larges plateaux couverts d'eau et de sable, sur des nattes de bambous ou d'autres supports particuliers.

Pierre calcaire transformée par les agents atmosphériques, montée sur un support d'ébène. Elle rappelle un escarpement raide (photographie de AB Antonio Buzzi)

Pierre calcaire, corrodée par les agents atmosphériques, sur un support d'ébène. Elle rappelle une chaîne des Alpes (photographie de AB Antonio Buzzi)

Les outils et la préparation du sol

Les outils indispensables

Pour effectuer les opérations nécessaires à mettre en forme le bonsaï, il existe de très beaux outils, parfaits, et parfois difficiles à utiliser pour ceux qui sont manuels.

Certains outils gardent le charme de la tradition, mais ils peuvent être remplacés par des appareils modernes à usages multiples (perceuse électrique). Le prix élevé des outils japonais se justifie du fait que le type de matériel et le travail artisanal permet d'attcindre une perfection techniquc exceptionnelle.

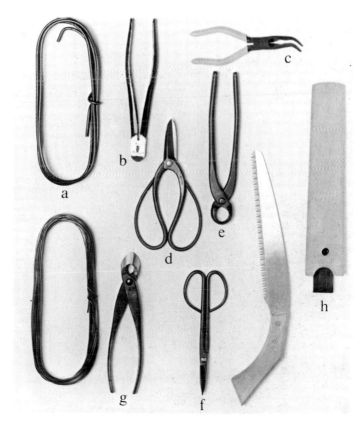

Outils indispensables à l'amateur de bonsaï: a) des fils d'aluminium anodisé de différents diamètres, b) des ciseaux pour couper les fils métalliques, c) des pinces pour fixer les fils métalliques, d) des sécateurs pour tailler les racines, e) des ciseaux pour éliminer les branches, f) des ciseaux à tranchant concave pour tailler les branches, g) des ciseaux pour effeuiller, h) une scie pour éliminer les grosses branches ou les racines (photographie de AB Antonio Buzzi)

L'amateur est souvent fasciné par l'élégance de ces outils. Il y en a qui lui sont indispensables, même pour les
premières expériences et d'autres, plus sophistiqués,
qui ne peuvent être utilisés correctement qu'avec le
temps et qui permettent de réaliser des coupes, des con-
cavités, des **jin** aux formes parfaites sans rien enlever à
l'aspect naturel de la plante.

Les outils indispensables sont:
- de petits ciseaux japonais de dimensions moyennes à
  tranchant concave ou arrondi pour tailler les branches et nettoyer les cicatrices;
- des ciseaux à manches longs pour tailler les jeunes
  pousses ou pour effeuiller;
- des sécateurs en acier pour tailler les racines;
- un greffoir bien aiguisé pour limer les coupes, nettoyer les cicatrices, préparer les **jin,** etc;
- une scie pour éliminer les grosses branches, les pivots, etc.;
- des pinces pour fixer les fils métalliques très gros;
- des ciseaux pour couper les fils métalliques.

Le terreau pour bonsaï

Alors que les techniques bonsaï (taille, fumage, destruction des parasites, etc.) peuvent être apprises facilement car elles rentrent dans les règles du jardinage, la
préparation du terreau pour bonsaï est un problème
que chacun doit résoudre individuellement, selon le climat dans lequel il se trouve.

Ceux qui réussissent à faire pousser un petit arbre dans
un pot de petites dimensions pendant des années sont
déjà "arrivés" aux deux tiers de l'œuvre.

La croissance, le développement, la santé de chaque
être vivant sont réglés par la "loi du minimun", c'est-à-
dire par cet élément indispensable qui, présent en quantité minime, conditionne l'absorption et l'utilisation de
tous les autres éléments.

Une expérience intéressante a été faite en Australie où
des moutons sains et forts, laissés libres sur de riches
pâturages, mais où le sol était dépourvu de cobalt, fu-
rent atteints de cachexie et moururent en quelques
mois.

Comme tout être vivant, la plante a besoin de tous les
éléments pour vivre.

Les proportions entre les éléments diffèrent et dépen-
dent de chaque essence ainsi que de l'âge de la plante.

Les arrosages quotidiens tendent à appauvrir la terre

Thuya sp.
Hauteur 50 cm. Coupe rectangulaire non émaillée. La forme classique du pot fait ressortir la ligne du tronc (photographie de AB Antonio Buzzi)

Acer buergerianum
Hauteur 60 cm. Coupe ronde non émaillée
(photographie de AB Antonio Buzzi)

du pot à bonsaï entraînant les sels minéraux. Il est vrai que l'on peut utiliser des engrais, mais ces derniers altèrent avec le temps l'équilibre organoleptique du sol, la faune et la flore microscopiques indispensables. Le bonsaï est dépoté rarement (tous les 2 à 5 ans, pour les plantes à feuilles caduques, tous les 3 à 7 ans pour les conifères). Si on ne régénère pas la terre par des méthodes appropriées, on risque en quelques mois d'altérer le pH du sol. La conséquence est l'altération de la structure du sol ou la perte de certains sels, dues en grande partie à l'usage quotidien d'eau souvent dure.

On risque aussi de provoquer "l'effet brique" qui suffoque la plante.

Certains auront fait l'expérience d'empoter des géraniums au printemps dans la terre relativement meuble et de la retrouver en été tellement dure qu'elle refuse même l'eau d'arrosage. Pourtant il s'agit de la même terre qui, dans le potager, est restée meuble. Ceci est dû aux arrosages quotidiens alternant avec des moments où la terre reste sèche, ce qu'il faut absolument éviter.

Il n'est pas possible d'utiliser comme support de la tourbe qui retiendrait trop l'eau et, surtout au printemps et en automne, favoriserait le pourrissement des racines. Si l'on y ajoutait des sels nutritifs, cela provoquerait un développement excessif et irrégulier de la plante qui est presque toujours suivi par des signes de carence, par manque d'oligo-éléments spécifiques.

On ne peut pas non plus prévoir un terreau spécifique pour chaque plante. La terre doit présenter une granulométrie équilibrée obtenue en ajoutant de la pierre de ponce ou de la lave broyées, ou encore des cailloux gros comme des grains de blé et si possible à arêtes vives.

Si la granulométrie de la terre est équilibrée, les racines se développent et se ramifient sans problèmes. Elles n'atteignent pas immédiatement les bords du pot, ce qui créerait un "nid" compact, inutile et nuisible. L'air circule dans la terre et la mantient oxygénée, ce qui permet le développement équilibré de micro-organismes et empêche le développement de maladies cryptogamiques.

Le terreau spécifique pour bonsaï, importé **du Japon**, est très coûteux et n'est pas trop conseillé pour nos climats, car en été (surtout dans les petits pots des plantes à feuilles caduques), il se déshydrate trop facilement et la plante souffre. L'argile granulaire présente, elle aussi, des inconvénients, car les arrosages continuels avec des eaux dures transforment les sels de fer en substances insolubles et la plante, avec le temps, souffre **de ca-**

rences de fer. La terre devient compacte et se durcit. Le pH joue un rôle fondamental. Il devrait être pratiquement neutre ou, à la rigueur légèrement acide.

L'eau de la plaine a, en règle générale, une dureté d'environ 40°. L'apport continu de calcium et de magnésium altère le pH du sol. Une fermentation légère et constante est donc indispensable pour neutraliser l'action de l'eau et maintenir la valeur neutre du pH.

La composition de la terre de base pourrait suivre les pourcentages indiqués ci-dessous; ils sont indiqués en volume et peuvent subir quelques variations.

Terre de bruyère	20-25%	40%
Terre de bois mixte	15-20%	
Aiguilles de pin		20%
Sable graveleux		20%
Tourbe blonde (ou feuilles de hêtre décomposées)		15%
Total		90-95%

Les 5-10% restants sont constitués par des **cendres de bois** avec des morceaux de charbon broyés, de la gangue de fer plus ou moins granuleuse d'une mine de pyrite ou de la limaille de fer, des coquilles de fruits secs, du marc de café, de la poudre de cuir, de l'écorce de pin broyée ou des morceaux de tourbe de tronc de pin en décomposition et, éventuellement, quelques coquilles d'œufs broyées.

● La **terre de bruyère** riche en potassium est très équilibrée, surtout en ce qui concerne les oligo-éléments, ainsi que la **terre de bois mixte.** Cette dernière est la couche superficielle, après élimination des feuilles décomposées, qui se trouve dans les bois où poussent les châtaigniers, les hêtres, les chênes, les bouleaux, les frênes, les cerisiers, les noisetiers, etc.

● Les **aiguilles de pin** maintiennent l'acidité que l'eau dure à tendance à éliminer.

● Le **sable graveleux** augmente la granulométrie, et favorise le passage de l'eau et de l'air.

● Les **cendres** apportent tous les sels indispensables, car elles sont constituées des sels présents dans les troncs et les branches brûlés.

● Les **morceaux de charbon** contiennent de l'air et de l'eau.

● La **gangue** et la **limaille de fer** apportent les sels de fer, indispensables à la santé et à la beauté de la plante.

• Les **coquilles de fruits secs** ainsi que la **poudre de cuir,** en se décomposant lentement, apportent de l'humus et améliorent la structure du sol.

• L'**écorce de pin,** comme les aiguilles, donne de l'acidité; elle est, en outre, utilisée pour créer une petite couche sur les orifices de drainage des pots des azalées et des rhododendrons.

• Le **marc de café** est riche en potassium qui se dissout lentement.

• Les **coquilles d'œufs** apportent du calcium qui, comme le carbonate de calcium, se dissout en très petites quantités et évite les éventuelles carences de cet élément.

La terre de base, que l'on prépare en automne-hiver et que l'on fait reposer pendant quelques mois, est divisée en trois portions:

- à la première, on ajoute de l'engrais à lente décomposition à 360 jours pour les petites plantes de quelques années qui doivent pousser;
- la deuxième, sans modification, est utilisée pour rempoter les plantes à feuilles caduques;
- à la troisième, on ajoute 20% de sable de rivière et on l'utilise pour les conifères.

Un terreau de ce type donne de très bons résultats et ne crée pas de problèmes de durcissement.

Tout amateur peut donc s'en servir et essayer de l'améliorer selon ses besoins en l'adaptant au milieu dans lequel sa plante doit vivre.

On pourrait penser que les fermentations, se produisant par la décomposition des éléments, consomment de l'oxygène qu'elles soustraient au sol et qu'elles remplacent par du gaz carbonique. Ces fermentations sont cependant extrêmement réduites et favorisent, en revanche, la formation et la conservation de la faune et de la flore microscopique indispensable. Grâce au volume réduit des pots pour bonsaï par rapport à la surface et à la granulométrie de la terre, l'oxygène peut pénétrer facilement et le gaz carbonique se libérer sans difficulté. Après quelques années, on peut remarquer des signes de mauvaise santé ou de carence chez certaines plantes; dans ce cas et si la plante est ancienne, on recourt à la régénération du sol avant de procéder à un rempotage au printemps suivant. Habituellement le bonsaï est un arbre qui a atteint son équilibre de plante adulte et, de ce fait, ne nécessite pas de rempotages fréquents.

Chez tous les vieux arbres, la nouvelle végétation remplace celle que la plante élimine et le poids de l'ensemble de la végétation et des racines reste relativement constant. De vieux chênes, des pins et des mélèzes énormes, des genévriers centenaires vivent et fructifient parfois dans les crevasses d'un rocher où, proportionnellement à la plante, la quantité de terre est inférieure à celle contenue dans un pot pour bonsaï ordinaire.

Dans la nature, de telles plantes souffrent rarement de carences et seulement parce qu'elles poussent spontanément sous des climats et dans des sols adaptés à leurs besoins. En effet, la profondeur de la crevasse ne permet pas à la terre qui y est contenue de subir des variations brusques de température et d'humidité. L'air circule dans le sol sans être entravé et le microclimat qui s'y crée permet le développement de micro-organismes unicellulaires et de champignons symbiotes.

Même l'eau de pluie s'écoule à la surface du sol, pénètre dans la fente et apporte de petites quantités de sels minéraux dissous ailleurs.

Le bonsaï rempoté est, en revanche, sujet à des arrosages quotidiens qui enlèvent les sels nutritifs. L'eau, souvent, dure, altère l'acidité du sol et certains sels (notamment les sels de fer) deviennent insolubles; le sol durcit, souffre d'asphyxie avec comme conséquence la destruction du milieu microscopique indispensable à la vie de la plante.

Pour éliminer la dureté de l'eau, l'emploi de substances à échanges ioniques n'est pas efficace à long terme. Les engrais chimiques, même s'ils contiennent des oligo-éléments, ne reproduisent jamais un équilibre correct et durable. Il est préférable d'utiliser de l'eau de pluie, malgré quelques difficultés quant à la récolte et une perte de temps remarquable qui n'est pas toujours justifiée par les résultats.

Pour les bonsaïs anciens, il est donc indispensable de procéder à des rempotages périodiques (tous les 3 à 5 ans pour les plantes à feuilles caduques, tous les 5 à 7 ans pour les conifères). La nécessité d'un rempotage printanier est signalée dès l'été précédent par divers facteurs:

- la terre absorbe l'eau avec difficulté;
- la couleur des feuilles n'est plus brillante;
- les feuilles ne sont plus turgescentes, mais fines et les vieilles feuilles jaunissent;
- malgré des traitements répétés, on n'arrive plus à éliminer les parasites;
- certaines branches plus délicates perdent leurs feuilles et sèchent;

- les jeunes bourgeons perdent de leur souplesse en raison d'une lignification irrégulière;
- l'écorce (surtout celle des plantes à feuilles caduques, comme les hêtres, les bouleaux, les pommiers, les ormes) est moins brillante, comme sale;
- les veinures des feuilles diffèrent par rapport au limbe;
- les bords des feuilles jaunissent;
- la plante commence trop tôt le repos d'automne, parfois même pendant la phase de ralentissement estivale;
- en raison de la force irrégulière des branches, des gourmands apparaissent parfois à la base des branches et affaiblissent l'arbre davantage.

Il existe d'autres symptômes moins évidents, mais liés aux précédents parmi lesquels je citerai:
- la terre du pot sèche tout de suite;
- la plante ne résiste pas aux chaleurs estivales par manque de réserve en eau;
- l'écorce, normalement lisse, se plisse;
- la température de l'écorce des jeunes branches est la même que celle des vieux troncs.

En observant ces signes, on saura quelles sont les plantes qui nécessitent d'être rempotées le printemps suivant. Cela ne veut pas dire nécessairement changer de pot. Il suffit de changer environ 2/3 du terreau pour les plantes à feuilles caduques et 1/3 pour les conifères en gardant le même récipient. Le rempotage est toujours un traumatisme pour la plante qu'il vaut mieux éviter le plus possible, surtout s'il s'agit d'un spécimen d'un certain nombre d'années.

Comment régénérer le sol

Voici une méthode très utile pour espacer dans le temps les rempotages. Au mois de novembre lorsque la plante commence le repos hivernal on enlève avec beaucoup de soins la vieille plante du pot, de manière à ne pas briser la motte de terre. Pour bien effectuer cette opération, on renverse le pot et on coupe le fil qui, passant à travers les orifices de drainage, fixe la plante.
On retire la motte de terre en heurtant le bord du pot sur un coin de table. On enterre la motte, sans la toucher, en pleine terre. Cette terre doit être régénérée tous les printemps avec du fumier.
On recouvre la mousse du sous-bois, à la base du bon-

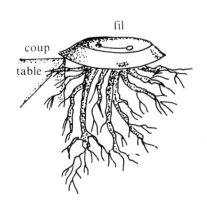

Comment dépoter un bonsaï

fil

coup

table

saï, avec des feuilles sèches, et on laisse le tout enterré jusqu'au printemps suivant (la mi-mars environ).

Avant que la plante ne se réveille de son sommeil hivernal, on rempote le bonsaï, toujours sans toucher à la motte de terre, ni au sous-bois.

La motte de terre doit se trouver dans du sol bien humide, oxygéné, riche et frais, afin de régénérer, pendant les 4 ou 5 mois d'hiver, le microclimat nécessaire. Par capillarité et osmose, les éléments perdus pénètrent dans la motte de terre du bonsaï et rétablissent l'équilibre fongique indispensable à sa bonne santé.

Cette opération n'est pas seulement utile, elle est également indispensable pour garder blanc le tronc des bouleaux, gris clair celui des hêtres et préserver la turgescence des pommiers. Pour les profanes, les rempotages tous les 3 à 5 ans pour les plantes à feuilles caduques, et tous les 5 à 7 ans pour les conifères, peuvent sembler trop espacés. Je vais expliquer pourquoi: la plante ne vit pas seulement de terre, mais d'eau, de gaz carbonique et, exception faite pour l'azote, le phosphore et le potassium fournis régulièrement avec les fumures, d'une quantité d'autres éléments qui sont indispensables et en même temps impondérables. En outre, ces éléments ne sont pas utilisés directement. Dans la plupart des cas, ils sont préparés et rendus solubles, donc absorbables par la plante, par des êtres unicellulaires et fongiques qui vivent dans un microclimat particulier, celui-ci étant presque toujours détruit dans le petit récipient par les variations brusques de température et d'humidité qui se vérifient au cours de la journée.

Pour faire face à cet inconvénient, il faut donc régénérer la terre du pot. Enterrer les plantes en pleine terre pendant l'hiver leur permet de se retrouver au réveil printanier dans le milieu adapté; si, cependant, on remarque pendant l'été les signes mentionnés ci-dessus, on procédera au rempotage véritable.

Le fumage

La plante a besoin de tous les sels minéraux dans des proportions variables selon son essence. Mais toutes les plantes ont besoin de sels d'azote, de phosphore et de potassium. Ces sels sont extrêmement solubles et la quantité utilisée est très élevée.

L'azote constitue environ 78% de l'air, mais il est sous forme de gaz que la plante ne peut pas utiliser. Certains végétaux, notamment les légumineuses et les aulnes, ont besoin de beaucoup d'azote en regard du pourcentage élevé de protéines qu'ils forment, et ont pour cela évolué de manière à héberger sous leurs racines des bactéries fixant l'azote contenu dans l'atmosphère et vivant en symbiose avec eux. Les bactéries fournissent à la plante les nitrates, la plante compense avec des hydrates de carbone. Ces plantes peuvent donc vivre sur des sols très pauvres.

L'**azote** est indispensable pour le développement des feuilles et il est essentiel pour les plantes très jeunes.

Le **phosphore** et le **potassium** sont importants pour la floraison, la fructification et la lignification.

Ces trois éléments ne doivent jamais être administrés séparément, mais ensemble, et chacun dans une certaine proportion. Il existe des engrais granulés du type 10/10/10, employés par les cultivateurs de peupliers destinés à la production de bois. Le rapport entre les trois éléments est 1/1/1/. Il y a des engrais où l'azote est prioritaire, comme ceux du type 20/12/10 et d'autres qui contiennent plus de phosphore et de potassium, comme le type 10/20/20/.

Méfiez-vous de ceux qui vous offrent des engrais pour bonsaïs: les engrais sont faits pour toutes les plantes et non pour les bonsaïs en particulier.

Il vaut mieux utiliser moins d'engrais et avoir une plante qui pousse plus lentement, qu'utiliser trop d'engrais et avoir une plante "brûlée".

Il serait utile de procéder à des opérations mensuelles ou aussi bimensuelles de fertilisation avec des solutions très diluées: dans ce cas, il vaut mieux utiliser du gravier comme support. Les engrais employés sont essentiellement au nombre de trois: les deux premiers sont des granulés avec des micro-éléments et le troisième est constitué d'humus de lombric.

Le premier engrais granulé, qui porte le n° 1, est du type 10/10/10; le deuxième, qui porte le n° 2, est du type 10/20/20/. On les distribuera 3 fois par an, ce qui est plus que suffisant compte tenu de la richesse du terreau décrit plus haut,

● Pour les **plantes à feuilles caduques,** on peut procéder de la manière suivante:
  - on fait le premier fumage au début du printemps (avril) avant la reprise végétative, en utilisant l'engrais n° 1, et en excluant toutes les plantes qui ont été rempotées;
  - le deuxième fumage sera fait pendant les 2 premières semaines de mai et sera suivi pour certaines plantes, par l'effeuillage et la taille;

- on utilisera encore une fois l'engrais n° 1, nécessaire à une croissance équilibrée, sans excès dans la production du feuillage ou le développement des branches. L'azote n'est pas prioritaire.

On ne met pas d'engrais au cours des mois d'été (juin, juillet). Au mois d'août, lorsque les nuits commencent à être plus fraîches, vers le 20 du mois environ, on procède au troisième fumage avec l'engrais n° 2 et, simultanément, à une taille d'entretien.

La taille est essentielle pour les plantes dont les fleurs ont poussé de manière irrégulière.

Les deux premiers fumages ont pour but de faire pousser la plante, le troisième, en revanche, stimule les bourgeons dormants, ainsi que la lignification des jeunes bourgeons qui devront faire face à l'hiver.

Même l'écorce, avec l'engrais n° 2, améliore son aspect. Avec le troisième fumage la plante ne fait pas pousser de nouveaux bourgeons, mais elle les prépare pour l'hiver et pour la floraison du printemps suivant.

● Pour les **conifères,** on procède également à trois fumages:
- le premier, avec l'engrais n° 1 est fait au mois de mai (en même temps que le deuxième pour les plantes à feuilles caduques), lorsque les chandelles des pins ou les pousses des sapins se développent et doivent être pincées;
- le deuxième fumage a lieu au mois d'août (comme le troisième pour les plantes à feuilles caduques) avec l'engrais n° 2 qui renforce les aiguilles et les nouveaux bourgeons. S'il est nécessaire, on procède à la taille, en gardant en amont des branches taillées des aiguilles actives à la base desquelles se développeront les bourgeons;
- le troisième fumage, toujours avec l'engrais n° 2, sera fait au mois de septembre. Les conifères préparent à cette époque les bourgeons qui se développeront en automne. L'engrais n° 2 fait que les bourgeons sont suffisamment protégés pour supporter le gel sans problèmes.

L'écart entre le fumage des conifères et celui des plantes à feuilles caduques est important, car les premiers restent actifs pendant toute l'année, alors que les plantes à feuilles caduques sont vigoureuses pendant la bonne saison et stoppent leur activité en hiver. Elles absorbent plus de substances nutritives dans un laps de temps plus réduit. Les conifères ont un temps de réponse plus long et ont besoin de plus de temps. Le développement du printemps est préparé dès l'automne précédent.

Il est préférable de ne pas distribuer de l'engrais sur de la terre sèche ou le matin, car les plantes risqueraient d'absorber une quantité excessive de sels. De plus, l'eau s'évaporant trop rapidement, la mousse risquerait d'être brûlée.

On peut procéder de la façon suivante: on compte les pots nécessitant de l'engrais et l'on évalue approximativement les litres de terre qu'ils contiennent. Pour chaque litre de terre, on utilise une cuillerée à café d'engrais granulé, par exemple, pour 10 pots de 20 x 13 x 5 centimètres on va utiliser environ 10 à 12 cuillerées à café d'engrais.

Il est préférable de faire dissoudre l'engrais dans un bol avec de l'eau, 24 heures avant l'utilisation. Le soir, on arrose légèrement les bonsaïs, on dilue l'engrais déjà dissous dans l'eau de l'arrosoir et l'on arrose de nouveau en utilisant pour chaque pot un ou deux verres de solution. Si l'on n'utilise pas toute la solution, on répète la même opération le soir suivant, toujours après avoir arrosé partiellement les plantes. Ainsi faisant, on évitera d'abîmer les plantes ainsi que le sous-bois.

Une façon indirecte de distribuer de l'engrais est l'utilisation de l'humus de lombric ou de fumier très fait, réparti sur la surface du sol.

Au printemps, on conseille d'ajouter 2 ou 3 cuillerées à soupe d'humus dans les pots des arbres anciens, non rempotés, dans lesquels peuvent se présenter plus facilement des risques de carence. Ce produit fournit les enzymes nécessaires à rétablir l'équilibre du sol. Les micro-organismes se multiplient et remettent en solution les sels minéraux indispensables, entre autres, pour l'apport de nouvelles substances nutritives. L'effet d'un fumage à base d'humus ou de fumier est indirect et prolongé dans le temps. Les engrais japonais pour bonsaï sont présentés sous forme de grosses pastilles, dont la composition est un mélange de substances organiques diverses cuites, fermentées, macérées, séchées et pressées en cylindres de 1 cm de hauteur sur 3 cm de diamètre.

Mis en contact avec l'humidité du sol, les comprimés se décomposent et libèrent souvent par putréfaction une odeur peu agréable. Ils apportent à la terre du pot de l'humus qui permet le maintien de la faune et de la flore microscopiques, indispensables à la croissance équilibrée de la plante. Il est vrai que ces produits sont utilisés au Japon, mais il ne faut pas oublier que là-bas les bonsaïs sont cultivés souvent sur gravier comme terre de base, ou sur du rocher en raison du climat extrêmement humide qui exige un support particulièrement drainé. Il est dans ces cas indispensable de fournir l'humus manquant.

Cet engrais a une fonction très semblable à celle de l'humus de lombric ou du fumier très fait obtenu à partir de feuilles et de fumier d'animaux.

En ce qui concerne les arrosages, il est nécessaire de préciser que l'eau d'arrosage devrait être à température ambiante, mais cela n'est pas toujours possible.

Les arrosages, surtout en été, devraient être faits le matin. La terre est plus fraîche et la différence de température entre la terre et l'eau est moins forte. Cependant, si en été on arrose le matin à 7 heures, à 11 heures le pot est déjà sec. Les racines capillaires de la plante n'ont que 4 heures pour absorber l'eau. Si l'arrosage est fait le soir, par exemple autour de 20 heures, le pot reste humide jusqu'à environ 10 heures le lendemain matin, grâce à la baisse nocturne de la température et la moindre évaporation conséquente. La plante a ainsi 12 ou 14 heures de temps pour régénérer sans réserves en eau et supporter les heures chaudes de la journée.

En règle générale, l'arrosage du soir, après le coucher du soleil, avec de l'eau à 13-15°C environ, n'a jamais causé aucun dommage aux plantes. L'eau, même si elle est froide par rapport à la terre des pots, se chauffe légèrement en y pénétrant, et, comme il fait nuit, le refroidissement de la terre ne s'oppose pas à un chauffement dû aux rayons solaires. Des variations légères de température entre le jour et la nuit ainsi que sur la partie aérienne du bonsaï activent la croissance de l'écorce et ne provoquent pas de dégâts limitant au contraire la prolifération des insectes.

Pensez aux plantes qui vivent à 1 500-2 000 mètres d'altitude, où le soleil est brûlant et où pendant la nuit la température descend brutalement; en raison de la nature du sol, les racines sont souvent superficielles. Pensez aux plantes du désert où la variation thermique journalière peut atteindre 50°C.

Les très petits pots peuvent présenter quelques problèmes par la quantité réduite de terre qu'ils contiennent et qui les expose à des variations de température et d'humidité redoutables (ce n'est pas un hasard si les bonsaïs: les plus petits sont souvent des genévriers très résistants). Il n'est cependant pas difficile de résoudre cet inconvénient. Il faut pour cela se munir d'un pot plus grand, percé au fond afin que l'eau ne stagne pas, le remplir de tourbe et le recouvrir d'un centimètre de sable. Les petits pots doivent ensuite être enterrés dans le sable, de manière que l'orifice de drainage touche la tourbe qui, grâce à ses caractéristiques naturelles, retient l'humidité. Les pots resteront humides et propres, car le sable empêchera à toute poussière de tourbe de les salir et ils ne subiront pas de brusques variations de température et d'humidité.

Les inconvénients et les maladies des bonsaïs

Grâce aux soins constants et notamment à la taille qui fortifie la plante, les bonsaïs vivent plus longtemps que les arbres poussant sans intervention extérieure. Leurs poils absorbants se régénèrent continuellement au fur et à mesure que les racines capillaires s'allongent; ces poils se trouvent immédiatement en amont de l'enveloppe de protection qui protège l'apex de la racine. Avec la chute des poils, les racines capillaires n'ont qu'une fonction de transport.

Dans la nature, lorsqu'un arbre atteint, par exemple, 20 mètres, la masse de poils actifs se trouve à environ 20 centimètres du collet sous la surface du sol. La sève brute parcourt, de ce fait, 40 mètres pour atteindre les feuilles et la sève élaborée en parcourt autant pour véhiculer, des feuilles à l'apex des racines capillaires, les substances nutritives nécessaires à leur croissance. La probabilité d'une attaque de ces vaisseaux de transport, tout au long de ces 40 mètres par des insectes, des parasites fongiques ou des viroses, est beaucoup plus élevée en proportion des 4 ou 5 mètres que parcourt la sève dans les bonsaïs les plus hauts.

La plante en pot, selon moi, risque de souffrir de la sécheresse ou de l'humidité excessive. Pendant les mois chauds, le bonsaï a besoin d'être arrosé tous les jours et, si pour une quelconque raison, on ne peut pas ou si l'on oublie de l'arroser même un seul jour (s'il s'agit d'une plante à feuilles caduques), les conséquences peuvent être désastreuses. On risque, en effet, de retrouver une plante aux feuilles flétries qui, malgré des vaporisations ou des séjours répétés du pot dans l'eau, ne récupère plus.

Aussi, si le pot a un système de drainage défectueux ou si, par erreur ou par excès de zèle, on remplit d'eau le dessous-de-pot, l'eau qui trempe la terre et celle du sous-bois "bout" sous le soleil brûlant et cuit littéralement les racines. La conséquence est même dans ce cas très grave: les feuilles apparaissent flétries, mais pas sèches, et ne retrouvent plus leur turgescence.

Si cela se produit même pendant d'autres périodes de l'année, il faut dépoter, laver les racines, défolier et tailler énergiquement le feuillage ainsi que les racines, désinfecter, remplacer la terre, humecter et enfermer le tout dans un grand sac en matière plastique transparente que vous mettrez à l'ombre.

Ainsi faisant, il est probable que les substances nutritives, encore présentes comme réserve dans le tronc et dans les grosses racines, stimuleront la croissance de nouveaux bourgeons et de nouvelles racines capillaires.

Il est nécessaire de construire cette "mini-serre" car les bourgeons vont se développer avant les racines capillaires. En revanche, au contact de l'air, les bourgeons réduiraient par transpiration les réserves en eau de la plante et celle-ci n'arriverait plus à produire les nouvelles racines capillaires nécessaires.

Pendant les mois chauds de l'été, si l'on s'absente pour un jour, il est donc préférable de rentrer les bonsaïs à l'intérieur après les avoir arrosés: bien qu'ils ne restent pas à l'extérieur pendant 24 ou 36 heures, ils ne subiront pas de dégâts irréparables. Une période de sécheresse forcée est peut-être moins grave que le traumatisme décrit plus haut qui provoque le pourrissement et l'asphyxie des racines. Il vaut mieux, de toute manière, éviter les deux situations.

Il faut souligner que si la plante est en bonne santé et vigoureuse, elle se défendra de l'attaque des parasites.

Si elle est atteinte, c'est qu'elle souffre de quelques carences; les causes peuvent être diverses et banales:
  - un éclairage insuffisant;
  - un milieu peu aéré ou mal aéré;
  - du terreau inapproprié;
  - le besoin d'être rempoté;
  - de petits traumatismes dus à un entretien irrégulier.

Il est nécessaire de connaître les maladies et les insectes pouvant se développer le plus fréquemment, afin de pouvoir les combattre efficacement. Nous allons prendre en considération les maladies et les insectes les plus répandus et les plus nuisibles pour les bonsaïs.

Les cochenilles

Les cochenilles sont des insectes qui apparaissent souvent sur les troncs, dans les plis de l'écorce et sur les feuilles. Ils enfoncent leur stylet dans les vaisseaux de sève et se protègent par des carapaces à la forme arrondie. Certains sont recouverts d'un duvet blanc qui les protège.

Leurs dimensions varient de la pointe d'une épingle à une petite lentille: leur couleur va du blanc au brun foncé. Ce sont des insectes extrêmement prolifiques et ils peuvent causer le dépérissement et même la mort de la plante. Ils sont très dangereux sur les genévriers et les conifères en général, car lorsqu'on s'aperçoit de leur présence, ils sont déjà très nombreux. Les antiparasitaires ordinaires ne peuvent les atteindre à cause de leurs protections diverses: dès qu'ils sentent le poison, ils s'aplatissent et se collent telles des ventouses contre le tronc. Ils restent ainsi pendant quelques jours jusqu'à ce que l'effet de l'insecticide ait disparu. Pour lutter contre les cochenilles, on emploie des huiles blanches émulsifiables qui recouvrent d'une pellicule très fine le corps des insectes et bloquent leurs trachées: les parasites meurent par asphyxie. Il est préférable de ne pas utiliser cette huile en concentration élevée, car elle pourrait obstruer les stomates des feuilles et faire tomber les feuilles plus vieilles par manque d'échanges avec le milieu extérieur.

Je conseille d'ajouter à l'huile blanche, en concentration légèrement inférieure à celle conseillée sur les paquets, un insecticide à grand rayon d'action. La désinsectisation doit être faite au moins 2 fois à 8 jours d'intervalle. Les résultats sont bons.

Branche attaquée par des cochenilles avec des fourmis (photographie de Paolo Navone)

Les aleurodes

Il s'agit de parasites assez communs qui se développent dans un milieu chaud. Ce sont des "papillons" blancs qui se nichent sous les feuilles dans les parties les plus protégées du soleil. Pendant la première phase de leur vie, ils affaiblissent la plante en absorbant la sève. Des désinsectisations répétées avec des insecticides à grand rayon d'action arrivent à les freiner (il n'est pas facile de les éliminer complètement).

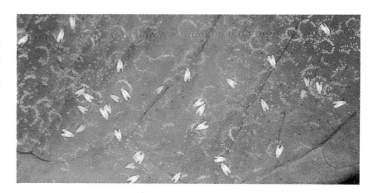

Face inférieure d'une feuille atteinte par des aleurodes. On remarque les insectes adultes ainsi que la disposition des œufs en forme de cercle, tout à fait caractéristique (photographie de Paolo Navone)

Les pucerons

Ce sont, eux aussi, des insectes assez communs et leur présence est souvent révélée par l'apparition sur les feuilles de matières translucides, presque onctueuses, dues à leurs déjections sucrées (miellée). Les fourmis, en se nourrissant de miellée, contribuent parfois à la diffusion d'attaque des parasites, même si elles empêchent la miellée d'abîmer les feuilles. On distingue de nombreuses espèces de pucerons.

Le plus dangereux, car le plus difficile à éliminer, est le puceron du hêtre (**Phyllaphis fagi**) protégé par une fine couche de duvet blanc. Il se niche surtout sur la face inférieure des feuilles du hêtre plus à l'écart du soleil et peut devenir dangereux en été.

Adelges laricus est une espèce presque semblable qui se développe sur les mélèzes au printemps, lorsqu'ils bourgeonnent. On remarque d'abord quelques petits points noirs (les pucerons pendant la première phase de leur vie) et quelques jours plus tard de petits flocons blancs.

D'autres pucerons, surtout de couleur marron foncé ou verte, se multiplient au printemps sur les bourgeons des érables, sur les pousses des pommiers, sur les bouleaux, etc. Les plantes à feuilles caduques sont les plus atteintes. Il est facile de les éliminer, mais il vaut mieux éviter leur développement avec des traitements préventifs et des désinsectisations à base de produits spécifiques à large éventail d'action. Le traitement doit être fait au début du printemps sur les femelles qui commencent à se développer.

Souvent, les déjections des insectes (cochenilles et pucerons) constituent le support à la propagation d'un

Face inférieure d'une feuille attaquée par des poux (photographie de Paolo Navone)

champignon, la **fumagine,** qui forme une croûte fuligineuse sur les feuilles; celles-ci deviennent collantes et donnent à l'ensemble un aspect désagréable. Les dégâts sont importants, car la feuille cesse de transpirer et ne réalise plus la photosynthèse.

L'emploi d'anticryptogamiques limite le développement de la fumagine, alors que les insecticides atteignent les insectes qui avec leur déjection permettent au champignon de se développer.

L'oïdium

Il s'agit d'un groupe de maladies fongiques affectant les rosacées en général (les pommiers, les aubépines), ainsi que les chênes et les noisetiers. L'oïdium se développe de préférence sur la jeune végétation du printemps et de l'automne. Lorsqu'il se manifeste en automne, les dégâts sont plus visuels que réels, car les plantes à feuilles caduques se préparent au repos hivernal; il faut toutefois faire attention pour l'année suivante. Le cas est différent s'il apparaît au printemps.

Parfois, on remarque des chênes atteints voisinant avec d'autres qui ne le sont pas, ou des pommiers déjà atteints au printemps et au contact desquels d'autres ne manifestent pas le moindre dépérissement, même à la fin de l'automne. Cela dépend de la variété. C'est comme si la maladie était déjà présente dans la plante. Elle affecte presque toujours les arbres faibles ou qui ont de légères carences, car alors les cellules ont des parois

Podocarpus sp.
Hauteur 75 cm. Coupe rectangulaire bleue. On remarque la couleur délicate des nombreux fruits (photographie de AB Antonio Buzzi)

Spiraea sp. *sur rocher*
Hauteur 18 cm. Coupe ovale bleue. La forme et la couleur de la coupe s'adaptent parfaitement à l'ensemble (photographie de AB Antonio Buzzi)

plus fines et permettent ainsi une agression plus facile et plus rapide de la part du champignon.

Par exemple, en enterrant après l'ouverture des feuilles le pot d'un pommier atteint par l'oïdium, les racines sortant des orifices de drainage trouvent plus de nourriture ou peuvent permettre le développement d'autres pousses qui ne présentent pas de trace de champignons.

L'oïdium est un cryptogame qui se manifeste sur les feuilles et les rameaux des plantes où il hiverne. Les limbes des feuilles apparaissent blanchâtres, souvent elles se froissent et leurs bords se relèvent.

On lutte contre l'oïdium avec du soufre en poudre ou en solution. Les traitements hebdomadaires doivent intervenir au moment où le champignon se développe le plus. Au printemps, lorsque les bourgeons s'épanouissent, il est préférable de procéder à un traitement anticryptogamique préventif avec du soufre et un produit spécialisé. On trouve dans le commerce de très bonnes préparations, comme celles utilisées pour les vignes, les pommiers, les tomates et d'autres fruits et légumes.

Le sulfate de cuivre peut également servir contre l'oïdium, car étant caustique, il rend l'épiderme des feuilles plus épais. Les feuilles deviennent ainsi moins vulnérables, mais, malheureusement, cela n'a pas d'effet direct contre le champignon.

Le feu bactérien

Cette maladie atteint souvent les érables. Lorsqu'elle est bénigne, ce ne sont que les bords des feuilles qui sèchent, mais lorsqu'elle atteint la plante plus gravement, les feuilles de branches maîtresses flétrissent soudainement. Parfois même, toute la plante flétrit. La cause vient toujours des racines. En mesure de prévention, il est conseillé d'utiliser un sol acide et d'éviter à la plante des changements brusques de température et d'humidité. Dans un milieu acide, le système radiculaire est plus fort. Dans cet objectif, on dispose au fond du pot de l'écorce de pin et dans la composition du sol on utilise de petits morceaux de tourbe blonde des troncs de conifères.

Ce mal se manifeste presque toujours en fin d'été, lorsque le système radiculaire a été abîmé par des variations excessives de température et d'humidité, ou par des fumages non appropriés. Pour éviter que cela ne se produise, il faudrait enterrer le pot pendant les mois d'été. De toute façon, dès que les premiers symptômes apparaissent, il est indispensable de désinfecter le sol pour stopper le pourrissement des racines.

Il existe des produits spécifiques que les spécialistes peuvent vous conseiller.

Les araignées rouges

Bien qu'il existe de nombreux types d'araignées, les araignées rouges sont de terribles petits acariens bruns qui apparaissent en été notamment sur les plantes protégées contre la rosée nocturne, et piquent les feuilles se nourrissant du contenu des cellules. En cas d'attaques graves, les feuilles tombent. Les dégâts sont très importants sur les conifères qui risquent non seulement de perdre quelques branches, mais également de mourir. Les dégâts sont moins graves sur les plantes à feuilles caduques: les feuilles présentent de petits points jaune-brun entourés d'un halo jaunâtre, de petites régions décolorées et de petits points bruns.

Les acariens redoutent l'air, la lumière et la rosée nocturne. Le problème est plus grave sur les terrasses et sur les balcons où les ennemis naturels manquent presque entièrement, alors qu'ils pullulent dans les jardins et les potagers, rendant parfois les traitements superflus. Il est préférable de prévenir l'attaque des araignées rouges car, lorsqu'on s'aperçoit de leur présence, les dommages sont déjà graves.

En mesure de prévention, il faut placer les plantes dans des endroits lumineux et aérés et, pendant les périodes chaudes, arroser le feuillage des plantes le soir. Toutefois, il ne faut pas négliger un contrôle périodique.

Le soir, en raison de la baisse de température, l'eau qui se trouve sur le feuillage ne s'évapore pas et crée un nuage d'humidité qui persiste pendant toute la nuit. En s'évaporant, le matin, il rafraîchit le feuillage qui chauffe au soleil. Les variations brusques de température, l'humidité et la bonne circulation de l'air empêchent la prolifération des araignées rouges.

Si l'on remarque leur présence, il faut traiter avec des produits préparés par des maisons spécialisées. N'hésitez pas à demander des suggestions aux conseillers des coopératives agricoles et dans les magasins spécialisés.

D'autres dommages sont créés par des larves ou des insectes adultes qui attaquent les racines, l'écorce et le tronc de la plante. Un amateur de bonsaïs attentif essayera de les combattre en agissant à la source avec des techniques exclusivement mécaniques. Parfois, il suffit d'intervenir très simplement, comme en tuant directement les larves des insectes là où on les trouve, par exemple entre les racines de la plante: dans ce cas, il faut prendre soin à ne pas toucher la motte de terre et, si l'opération est bien faite, la plante retrouve en peu de temps sa vigueur.

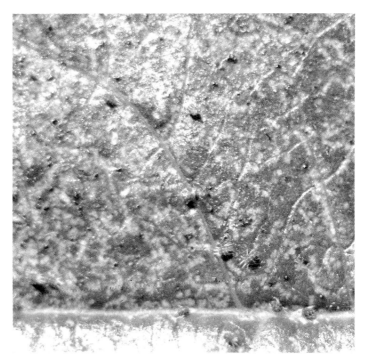

Feuille attaquée par un acarien phytophage (photographie de Paolo Navone)

Les techniques
de reproduction

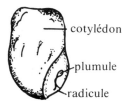

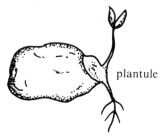

Monocotylédones

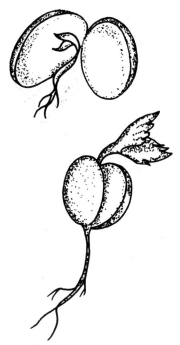

Dicotylédones

Tous les types de reproduction peuvent être utilisés pour obtenir un bonsaï. La graine se compose essentiellement de trois parties:
- l'embryon, formé par un axe muni de deux pointes, une pour la croissance des racines et l'autre pour la petite tige terminée par une ou plusieurs petites feuilles, les **dicotylédones:**
- les tissus de réserve qui sont principalement les **cotylédons;**
- les enveloppes externes, les téguments séminaux ou certaines parties du fruit. Elles protègent la graine, mais jouent en même temps un rôle lorsqu'elle est au repos.

La graine, arrivée à maturité, doit être cueillie avant qu'elle ne soit trop déshydratée pour éviter les gerçures des téguments, mais elle ne doit pas non plus être trop humide, car cela encouragerait la formation de moisissure. Sa vitalité, surtout s'il s'agit d'une plante sylvestre, varie considérablement d'une année à l'autre et d'un lieu à l'autre. Lorsqu'elle se détache de la plante, elle reste généralement dans un état d'inactivité apparent pendant un certain temps.

On profite de cet état de repos pour conserver les graines et donc ralentir les processus vitaux sans pour autant compromettre leur pouvoir de germination. Les conditions idéales de conservation sont de 4 à 6° C et une humidité de la graine de 4 à 8%. À condition de les sécher, on peut conserver sans problèmes de 1° à 10° C les graines de sapin, érable, arbousier, épine-vinette, **Celtis, Cypressus,** frêne, genévrier, mélèze et pin. Pour conserver les graines de charme, châtaignier, noisetier, hêtre et chêne le milieu doit, en revanche, être frais et humide.

En règle générale, les graines de plantes des régions tempérées doivent rester dans un sol humide de 0 à 6° C pendant deux ou trois mois environ (dans des caissettes) avant que la germination ait lieu, en raison du processus évolutif d'adaptation au milieu. Elles doivent ensuite être semées près de la surface, car la lumière joue un rôle important dans la germination.

Il est préférable de stimuler la capacité de germination avec un... "hiver artificiel": on met les graines au réfrigérateur à la température de + 3° C à + 5° C dans de petits sacs en polyéthylène remplis de sable humide pendant au moins 3 à 4 semaines. S'il s'agit de conifères, il est conseillé, pendant les premières semaines, de faire descendre la température sous zéro, même pour quelques jours seulement.

En regardant les graines à travers la matière plastique, on remarquera qu'elles augmentent de volume jusqu'à l'apparition, dans certains cas, d'une radicelle.

On les sème alors dans des caissettes remplies de terre contenant 30 à 40% de sable. On recouvre encore avec un peu plus de terre et l'on arrose. Les graines germeront de manière assez homogène. Avant que les plants ne soient déjà complètement formés 15 jours plus tard (20 à 30 jours après la naissance), on les transfère dans un lieu adapté, en éliminant le pivot pour que les racines secondaires, ayant plus de tendance à se répartir et à produire des racines capillaires absorbantes, puissent se multiplier.

La croissance va être ainsi stimulée. Certaines graines germent mieux au printemps qui suit la récolte (les graines du **cotoneaster**, charme, hamamélis, viorne, genévrier, érable doivent être cueillies encore vertes et plantées avant qu'elles ne soient desséchées et que les enveloppes de la graine soient trop endurcies). D'autres graines ont, en revanche, une vie de courte durée, quelques jours, un mois, ou au maximum un an: peuplier, orme, **Ampelopsis**, cèdre, **Chamaecyparis lawsoniana, Cryptomeria,** plaqueminier, liquidambar, potentille, **Zelcova** et saule. Pour avoir de bons résultats, il est donc préférable de les planter juste après la récolte. Les graines de nombreux conifères, tels que **Pinus, Picea,** Thuya, ont besoin de rester pendant un certain temps à une température inférieure à 0° C, pour encourager leur activité.

Celles qui ont des téguments imperméables, une fois séchées, restent en vie pendant longtemps (acacia, **Eleagnus** et forsythia). Le processus de germination est un ensemble de phénomènes biochimiques et physiologiques qui commencent par un besoin d'eau. Il s'ensuit une augmentation de l'activité enzymatique et respiratoire et la croissance des radicules des plantules.

Afin d'activer la germination, on utilise des procédés particuliers:

- l'incision des téguments externes (peu important pour les bonsaïs);
- le trempage dans de l'eau pour assouplir les téguments séminaux et éliminer les substances inhibitrices de la germination;
- la stratification au froid.

Ce dernier procédé est très utile pour les graines des plantes ligneuses, des arbustes et des conifères. Habituellement, on fait tremper les graines dans de l'eau de 12 à 24 heures. On les mélange ensuite avec une substance capable de retenir l'humidité, comme le sable, la sphaigne, la tourbe ou autre. On mélange les graines suivant la proportion suivante: une part de terre pour trois parts de support (la part du support pouvant être plus élevée). On place le tout au réfrigérateur dans des caissettes ou, sous nos latitudes, à l'extérieur pendant les mois d'hiver. Il faut que les graines soient aérées et constamment humides. Au printemps, on plante les graines qui commencent à germer.

Par développement de la graine, on obtient le plant dont la vie est très fragile. Il faut le défendre des maladies dues presque toujours à des cryptogames qui attaquent notamment les racines en provoquant leur mort. Il est fondamental d'empêcher ce phénomène en stérilisant le compost ou en traitant les graines avec des anti-cryptogamiques comme l'hypochlorite de calcium en solution très diluée ou des produits à base de zinc ou de cuivre ou de mercure organique.

Si l'on plante en caissette ou en pot, on peut également stériliser le terrain avant de semer en le déshydratant et en le séchant à température élevée (par exemple dans le four de la cuisinière). Le compost adapté aux besoins des graines en germination pourrait être un mélange d'argile, de sable et d'humus ou de terreau de feuille dans les proportions suivantes:
- 2 parts d'argile;
- 1 part de sable;
- 3 part d'humus.

L'époque du semis dépend du type de plante. En règle générale, il se situe au printemps pour les graines ayant une période de repos (graines dures) et après un prétraitement ou la stratification.

Il s'effectue en automne pour les graines qui ne doivent pas être séchées (noix, glands).

Naturellement, lorsque l'on sème en automne, il faut protéger la semence du froid dans des caissettes avec un compost bien humecté et les graines placées assez proches l'une de l'autre. En raison de la concurrence des graines les plus fortes, les plantes moins résistantes ne vont pas survivre et il y aura ainsi une sélection naturelle.

On recouvre la terre d'une mince couche de sciure qui maintiendra l'humidité et créera un coussinet d'air. On enveloppe le tout avec une feuille de polyéthylène puis avec des journaux ou des sacs en papier pour protéger les graines des gelées.

Le balcon sera l'endroit idéal où laisser pendant l'hiver la pépinière ainsi préparée.

La capacité qu'ont les plantes à s'adapter, à survivre et à se multiplier dans des conditions ambiantes, même très difficiles, est exceptionnelle.

Une même plante (surtout du type appelé supérieur avec des racines, une tige, des feuilles et des fleurs) peut se reproduire selon des modes différents. La reproduction par semis, caractéristique des plantes à fleur, n'est souvent pas la plus commune ni la plus facile. Elle est moins utilisée, ou utilisée, simultanément avec d'autres modes de reproduction, surtout lorsque les conditions ambiantes sont très variables.

La plupart des plantes cultivées survivent parce que leur multiplication est contrôlée.

En effet, plusieurs plantes disparaîtraient en quelques générations ou reprendraient des formes de moindre valeur, si leur reproduction n'était que spontanée et naturelle.

Les techniques employées diffèrent selon le type de plantes et le but des opérateurs. On peut cependant distinguer deux techniques fondamentales: la **reproduction sexuée et la reproduction asexuée.**

● **La reproduction sexuée** se produit uniquement chez les plantes à fleur. C'est en effet la fleur, avec ses étamines mâles et ses pistils femelles, qui contient les organes de reproduction. Ce mode de reproduction est caractéristique des plantes annuelles, bisannuelles et également des plantes vivaces. Il donne naissance à une graine qui parfois pousse immédiatement et d'autres fois pousse seulement à la suite de traitements spéciaux. La graine contient la **plantule** et les substances nutritives qui l'aideront à survivre jusqu'à l'autosuffisance du plant, c'est-à-dire jusqu'au moment où il sera capable d'absorber à travers ses racines l'eau et les sels minéraux et, à travers ses feuilles le gaz carbonique.

● **La reproduction asexuée** est possible grâce à la capacité qu'ont toutes les plantes à se multiplier au moyen d'organes végétatifs tels que les racines, les bourgeons, les feuilles. Les plantes possèdent des cellules indifférenciées (les cellules du méristème) qui peuvent reproduire un nouveau système radiculaire, un nouveau feuillage ou les deux. La reproduction asexuée joue un rôle important, car les descendants possèdent les mêmes caractéristiques que les parents. L'espèce végétale peut donc se reproduire pendant des siècles sans aucune altération.

En utilisant cette technique, on élimine toute cause de variation génétique et il est possible de répéter à l'infini les caractéristiques d'une seule plante.

L'existence de nombreuses variétés de plantes fruitières et ornementales de valeur n'est possible que grâce à la reproduction asexuée. Si, pour une raison quelconque, ce mode de reproduction devait ne plus s'effectuer, ces variétés de valeur disparaîtraient à la mort de la plante mère, car les graines des fruits possèdent une garniture chromosomique différente par rapport à cette dernière. Il existe différents types de reproduction asexuée. En voici quelques-uns.

● **Par stolons:** typique des fraisiers, où le bourgeon éloigné de la plante mère par un filament se développe en générant une nouveau pied de fraisier.

● **Par bourgeons:** de nouvelles pousses se développent au pied de la plante mère, et, en s'enracinant, deviennent des plantes autonomes (mode de reproduction caractéristique de **Chaenomeles japonica).**

● **Par marcottage:** en général une branche de la plante, en touchant le sol dans des conditions particulières, développe de nouvelles racines (typique de la vigne). C'est d'ailleurs un type de reproduction très utilisé dans l'art bonsaï.

● **Par séparation:** typique de l'ail, des bulbes de lis et de narcisse, des tubercules de glaïeul et de crocus.

● **Par division:** de rhizomes, comme pour l'**Iris germanica**, le bambou, les racines tubéreuses des dahlias et aussi les rejets de phlox.

● **Par bouturage:** des racines, comme pour l'acanthe; des rameaux, pour les rosiers, les forsythias et les géraniums; des feuilles, pour le **Begonia rex** ou la violette du Cap.

● **Par greffage:** au niveau de la racine, pour les rosiers; du pied, pour les conifères; par approche, pour les mimosas; en écusson pour les rosiers et les arbres fruitiers.

● **La reproduction vivipare:** certaines plantes peuvent former sur leur corps de nouvelles petites plantes avec

des racines et des feuilles minuscules qui, en se déta-
chant et en s'enracinant dans le sol, commencent à me-
ner une vie autonome. Ce mode de reproduction est caractéristique du **Briofillum** et de certaines **Calancoe.**

● **Par spores:** se produit sur les plantes sans fleurs
(champignons, algues, mousses). Les spores sont constituées par une ou plusieurs cellules regroupées, produites par des organes spéciaux, situés sur la face intérieure
des feuilles et qui forment, parfois, des dessins caractéristiques. Dans un milieu humide, les spores, après
avoir quitté la plante, peuvent se multiplier et générer
une nouvelle plante.

● **Par scission:** mode de reproduction caractéristique
des bactéries et des algues et consistant simplement en
la division de la cellule qui constitue l'organisme. C'est
une multiplication très rapide.

● **Par gemmation:** c'est un mode de reproduction semblable au précédent et typique des levures. Un bourgeon puis un nouveau micro-organisme prend naissance à partir d'une cellule ou d'un groupe de cellules
(en règle générale, les cellules sont indifférenciées et
constituent un organisme).

Tous les modes de reproduction intéressent l'art des
bonsaïs, mais il est indispensable de connaître les repro-
ductions par semis, marcottage, bouturage et greffage.

Le semis

On recourt au semis à chaque fois que l'on souhaite former quelques spécimens particuliers que l'on ne pourrait obtenir autrement. Par exemple, dans le cas d'un
arbre accroché à un rocher ou d'un bois de jeunes arbres poussant après le passage d'une avalanche.
La multiplication par semis est importante pour les
plantes annuelles, bisannuelles et herbacées, mais également pour les variétés ligneuses comme les arbres sau-
vages destinés au reboisement.
Les petites plantes obtenues par semis, pour leur
grande adaptabilité, sont largement utilisées en tant
que porte-greffes. Pour cette raison, elles jouent un rôle
fondamental dans la culture des bonsaïs. De nombreux
conifères, les cèdres, les **Chamaecyparis,** les pins, les cerisiers, les abricotiers à fleurs, les érables, qui présentent des caractéristiques comme des feuilles très petites
ou colorées, des entre-nœuds peu espacés, une floraison
abondante, possèdent le système radiculaire des plantes
de semence, plus riches en racines capillaires, plus résistantes aux maladies et à la sécheresse.

Il est également important de considérer l'origine de la graine, car il peut y avoir des différences entre les membres d'une même espèce poussant dans des régions différentes. Dans chaque milieu, se fait une sélection naturelle qui élimine les plantes inadaptées et donne aux plantes autochtones (poussant dans la région) des caractéristiques particulières de résistance et d'adaptabilité au sol, aux insectes, ainsi que d'autres différences visibles, comme la rapidité de croissance, la rugosité et la largeur du tronc.

On obtient les meilleurs résultats en semant des plantes autochtones.

Il est particulièrement fascinant de suivre le développement d'une plante à partir du semis. On peut ainsi remarquer tous les efforts que fait la plante pour pousser et les interventions progressives qui mettent en évidence l'œuvre de l'homme. La plante est plus équilibrée et naturelle, et l'aspect de l'arbre bonsaï respecte tous les canons artistiques.

L'amateur commence rarement par le semis pour obtenir de grands spécimens, car ce serait trop long. Avec le semis, exception faite des cas particuliers, il est impossible de faire modifier brutalement la forme de l'arbre. L'aspect définitif de l'arbre s'obtient progressivement et le résultat est forcément positif. Il est déconseillé au néophyte de commencer par le semis, s'il n'a pas déjà quelques spécimens à soigner et à admirer. Le temps exigé pour obtenir un résultat appréciable serait long (d'un point de vue occidental) et les inconvénients qui se présenteraient pourraient freiner toute initiative et refroidir l'enthousiasme du départ.

Pour les amateurs passionnés qui possèdent déjà une petite collection de bonsaïs, il sera très intéressant de semer, et ils seront étonnés de la rapidité avec laquelle le temps passe! De bons résultats peuvent être obtenus avec les chênes, les **Zelcova,** les pommiers, les gingkos et les érables. Les conifères et notamment le pin à cinq feuilles donnent, en revanche, des résultats moins satisfaisants.

Le marcottage

Pour conserver certaines caractéristiques d'une plante (la couleur et la forme des feuilles, des fleurs, des fruits, des entre-nœuds peu espacés, la résistance à des conditions climatiques ou ambiantes particulières, ou aux maladies), il est indispensable d'abandonner la reproduction par semis.

Il existe aussi certaines plantes pour lesquelles la multiplication par semis est impossible (comme quelques variétés de ficus) ou ne convient pas (troène). On a alors recours à d'autres moyens tels que le marcottage ou le bouturage.

L'expérience nous montre, en effet, que dans le cas de nombreux arbustes ornementaux une plante pousse et se développe plus rapidement si elle s'est reproduite par bouturage. C'est par exemple le cas du forsythia. Pour les plantes ligneuses en revanche, on emploie très fréquemment la méthode du marcottage, qui ne demande pas d'équipement particulier et ne provoque aucun dégât chez la plante mère.

Le marcottage permet à une branche de développer des racines avant qu'elle ne soit détachée de la plante mère. Pour activer la formation des racines, il faut faire arrêter la circulation de la sève descendante, riche en substances nutritives et en hormones, en un point précis de la branche. La sève qui s'accumule dans les tissus de la plante accélère l'émission des racines dans ce point. On obtient ce résultat en incisant ou en prélevant à l'aide d'un couteau aiguisé une bague d'écorce, ou bien en serrant la branche avec des liens de fer zingué ou du cuivre.

L'enracinement est encouragé par l'absence de lumière, la présence d'oxygène, d'humidité et de chaleur, ainsi que par l'action d'hormones de bouturage. L'opération s'effectue au printemps sur un rameau de l'année précédente, mais aussi sur des branches relativement anciennes, ou bien en été sur des pousses semi-ligneuses. Toutes les marcottes se développent mieux, si le rameau choisi est plein de vigueur et appartient à une plante saine et forte.

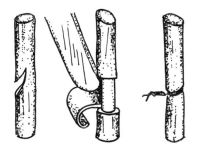

Les interventions préparatoires

Il existe différents modes de marcottage; en voici quelques-uns.

● Le **marcottage simple.** Ce procédé consiste à couper les feuilles d'une tige vigoureuse de 10 à 15 centimètres du feuillage, à incliner cette tige sur le sol en l'enterrant. Le rameau est fixé à l'aide d'un crochet en incisant ou en le serrant comme nous l'avons expliqué plus haut, dans la partie courbe.

● Le **marcottage en cépée.** Il consiste à couvrir de terre le pied de tiges vigoureuses (surtout si elles sont obtenues après une taille sévère de la plante mère) en sevrant dès que les marcottes auront développé leurs racines.

● Le **marcottage aérien.** C'est une vieille technique, née il y a plus de quatre mille ans en Chine. On choisit une

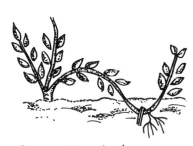

Le marcottage simple

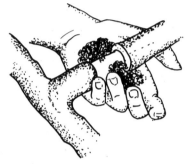

Le marcottage aérien

pousse ou un rameau sain, vigoureux si possible, et l'on en coupe les bourgeons ou les rameaux latéraux à l'endroit où l'on veut faire pousser les racines. On incise l'écorce pour concentrer dans cet endroit la sève élaborée, on applique de la poudre d'hormones pour faciliter l'enracinement (German, F 66, N 77, etc.); on recouvre la partie traitée avec deux poignées de sphaigne humide, on serre et l'on fixe la sphaigne avec du polythène noir, en le liant à la tige avec un ruban isolant aux deux extrémités. Le polythène maintient l'humidité et la chaleur, empêche le passage de la lumière et permet à l'air de circuler à travers la sphaigne. Au lieu de la sphaigne, on peut utiliser de la tourbe avec un peu de sable.

L'enracinement a lieu généralement après une saison végétative. La phase la plus critique, dans le marcottage aérien, est le développement de la marcotte qui a déjà ses racines. Il faut couper la tige sous la zone de marcottage, en enlevant délicatement le polythène et, éventuellement, en desserrant la sphaigne. Ensuite, on plante dans un large pot avec du terreau légèrement fertilisé.

Le bouturage

La reproduction par bouturage réalisée avec des rameaux coupés et enracinés est de plus en plus répanduc grâce à l'emploi des mini-serres.

La capacité d'une tige, séparée de la plante mère, de produire des racines dépend de la variété de la plante, de son âge, de la vigueur végétative et de la richesse des substances nutritives présentes dans la tige.

Une bouture de **rameau herbacé** se prélève dès que les bourgeons ont commencé à se développer au printemps ou en début d'été avant le repos végétatif, alors qu'une bouture de **rameau ligneux** défeuillé devrait être prélevée à la fin de la saison végétative. La réserve de substances nutritives dans la tige sert pour les nouvelles racines ou pour maintenir la plante en vie.

Une bouture de rameau ligneux feuillé survit plus longtemps par rapport à une bouture de rameau semiligneux, mais, de toute façon, il est préférable de la stimuler avec des hormones de bouturage. Il faut également l'exposer le moins possible à des variations de température et d'humidité.

Le développement des racines dépend beaucoup de la température, qui doit être chaude mais pas excessivement, pour que les substances nutritives ne s'épuisent pas avant que la plante soit autosuffisante. Il faudrait, par conséquent, que le plant puisse profiter d'un terrain tiède ainsi que d'une température clémente et d'une bonne aération du milieu ambiant, pour éviter la croissance excessive et la transpiration.

● Les **boutures de rameaux herbacés** gardent leurs feuilles et se prélèvent sur des pousses du printemps.

● Les **boutures de rameaux semi-ligneux** sont des cimes de tiges ou de pousses prélevées en début d'été.

● Les **boutures de rameaux ligneux feuillés** sont prélevées en hiver sur les plantes à feuilles persistantes.

● Les **boutures de rameaux ligneux défeuillés** sont des tiges sans feuilles d'arbres à feuilles caduques, prélevées pendant les périodes de repos; elles exigent moins de contrôle. La longueur des boutures varie de 10 à 15 centimètres et dépend du type de plante, de ses dimensions et de son rythme de croissance annuelle.

Les modes de bouturage qui intéressent le plus dans la culture de bonsaïs sont les suivants:

– le **bouturage à talon.** Le prélèvement peut se faire toute l'année. On applique au talon de la bouture de la poudre d'hormones de bouturage qui favorise l'enracinement et l'on plante après avoir éliminé à l'aide de ciseaux les 2/3 des feuilles et tous les boutons ou les fleurs éventuels;

– le **bouturage à crossette.** On fait le prélèvement pendant la dernière période de la saison végétative;

– le **bouturage de rameaux herbacés.** Après avoir prélevé la bouture, il faut la laisser tremper pendant 24 heures dans une solution d'hormones de bouturage et l'on plante en arrosant de produit fongicide;

– le **bouturage de rameaux ligneux défeuillés.** C'est le mode le plus simple. On prélève les boutures sur des tiges ou des rameaux lignifiés d'arbres ou d'arbustes à feuillage caduc à la fin de la saison végétative.

Pour les plantes qui ont plus de difficulté à s'enraciner,

Le bouturage à talon

Le bouturage à crossette

Le bouturage de rameaux herbacés

il est préférable d'utiliser la méthode dite "à talon". Pour réaliser le bouturage sur des rameaux ligneux, il faut les couper horizontalement, 15 centimètres au-dessous de la coupe oblique supérieure, près d'un bourgeon. On traite les bases des coupes avec de la poudre d'hormones de bouturage. On lie les boutures en botte et on les place dans une caissette couverte avec du sable où elles vont rester pendant l'hiver protégées du gel (la température ne doit pas être trop froide).

Au printemps, on plante les boutures avant qu'elles ne commencent à se développer (on ne laisse émerger du sol que 2 ou 3 centimètres).

Pour les tiges à moelle tendre, il faut sceller la coupe avec du mastic, de manière à empêcher la formation de champignons à l'intérieur de la moelle, ce qui provoquerait une marcescence des boutures.

Les boutures ligneuses des espèces à feuillage persistant à feuilles lancéolées (**Chamaecyparis, Juniperus, Taxus) ont besoin de plusieurs mois pour s'enraciner** (les genres **Picea, Pinus, Abies** s'enracinent très difficilement et il faut donc avoir recours au greffage). Ces boutures se prélèvent en automne ou en hiver après une période de gel. Elles doivent être longues environ de 12 à 15 centimètres et doivent être coupées à 6 millimètres environ sous le point où l'écorce est devenue marron. On élimine toutes les feuilles de la moitié inférieure et l'on place les boutures rassemblées en botte dans un endroit froid, isolé du gel, après avoir plongé leur base dans une solution d'hormones de bouturage. Pour finir, on les traite avec un anticryptogame.

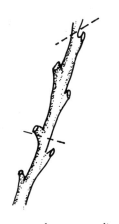

Le bouturage de rameaux ligneux

Les boutures ligneuses des espèces à feuillage caduc sont plantées généralement dans de la terre très riche. Du limon sablonneux bien aéré se révèle très adapté. Il est préférable de stériliser la terre pour éviter les nématodes et le cancer du collet.

Le sable employé pour le bâtiment constitue un bon milieu pour l'enracinement de tout type de boutures. Il permet un bon drainage ainsi que l'oxygénation du sol. On peut ajouter au sable de la tourbe (2 parts de sable et 1 part de tourbe) pour mieux retenir l'humidité. Un mélange de sable, tourbe et perlite s'y prête bien.

Parfois, on peut augmenter la production de racines en pratiquant sur les boutures de petites incisions de 1 ou 2 centimètres jusqu'à atteindre le bois. Cette opération est utile pour les boutures de genévrier, de thuya, de rhododendron et d'érable.

On peut également prélever un petit morceau d'écorce

Comment exécuter la coupe

(1 ou 2 millimètres sur 10 à 20 millimètres de longueur) sur les côtés opposés à la base de la bouture de manière à mettre à nu le cambium.

Après cette opération, il est préférable de traiter les boutures avec des hormones de bouturage et désinfecter une fois par semaine, avec des produits fongicides surtout pendant la période critique de l'enracinement.

Le greffage

On peut obtenir un bonsaï par greffage, c'est-à-dire utiliser le système radiculaire vigoureux (adapté à des sols différents et résistant aux variations de température et d'humidité) d'un arbre naturel pour faire pousser le feuillage d'un autre arbre de la même espèce, sélectionné pour une caractéristique spécifique. Ce procédé présuppose la connaissance de techniques de greffage particulières, qui peuvent être inconnues de l'amateur. Même alors, l'expérience est fondamentale et vaut mieux que tout manuel; si l'on ne se sent pas en mesure de le faire, il est conseillé de s'adresser à un pépiniériste expérimenté. Dans le cas du bonsaï, le greffage a également une finalité décorative. Il sert, par exemple, à fortifier la base d'un tronc et la rendre rugueuse, comme dans le cas de pins à cinq feuilles greffés sur des pins sylvestres, ou bien pour insérer et faire développer une branche plus basse sur un tronc excessivement long et dépouillé.

Les parties des deux plantes qui s'unissent lors du greffage s'appellent:
- **le porte-greffe** qui fournit le système radiculaire et qui est généralement obtenu par semence ou par bouturage d'un arbre sauvage;
- **le greffon,** petit morceau de branche coupée qui comporte un ou plusieurs bourgeons dormants et qui formera la partie aérienne de la plante.

Pour obtenir un bon résultat par greffage, il faut respecter un certain nombre de règles.

Il faut d'abord choisir un porte-greffe et un greffon qui soient compatibles et, en règle générale, qui aient un lien de parenté botanique très proche.

Les coupes du porte-greffe et du greffon doivent être très nettes et les tissus du cambium des deux parties doivent être mis en contact. Le cambium est formé de cellules du méristème très actives qui se trouvent entre l'écorce et le bois. Le point de soudure de la greffe sera couvert par cette masse de cellules parenchymateuses qui se développe autour des tissus blessés des plantes.

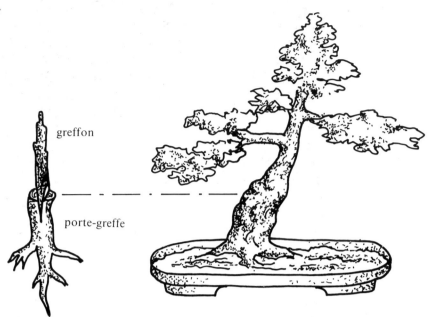

greffon

porte-greffe

Parfois, certaines parties du porte-greffe ou du greffon sont volontairement laissées libres pour favoriser la formation du cal.

Il ne faut pas oublier que la greffe doit être faite à la saison appropriée et que les bourgeons du greffon doivent être moins actifs (voire dormants) que le porte-greffe. La plupart des greffes doivent donc être exécutées au printemps, avec des greffons prélevés l'hiver précédent et gardés en lieu frais, généralement sous le sable, pour être utilisés dès que la température augmente, et commence à stimuler la croissance et la soudure des parties greffées.

Dès que l'opération de greffage est terminée, il faut protéger les plaies avec un mastic à greffer pour éviter le dessèchement. En outre, la bonne réussite dépend de la rapidité d'exécution et de la netteté des coupes des surfaces à mettre en contact pour la soudure. Elles ne doivent pas se dessécher et doivent adhérer parfaitement.

La greffe à l'anglaise

Après avoir coupé le porte-greffe en biseau, on enlève un coin profond de 1 à 1,5 centimètre dans la partie supérieure de la coupe. On répète la même opération sur le greffon qui doit avoir environ le même diamètre, en

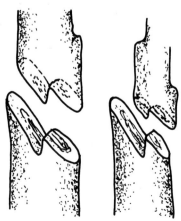

Le greffon et le porte-greffe doivent adhérer parfaitement

Fagus crenata
Hauteur 55 cm. Coupe ovale beige (photographie de AB Antonio Buzzi)

Carpinus japonicus *(bosquet)*
Hauteur 35 cm. Coupe ovale beige. La disposition des troncs, donnant à l'ensemble de la profondeur, est très intéressante
(photographie de AB Antonio Buzzi)

veillant à l'exécuter à l'endroit correspondant exactement au point de contact.

On introduit le greffon dans le porte-greffe de manière à joindre parfaitement les deux parties.

Si le porte-greffe a un diamètre supérieur au greffon, on déplace légèrement ce dernier vers le bas, de manière à faire coïncider la zone du cambium. On ligature fermement avec du ruban spécial pour greffes et l'on mastique.

La greffe en fente

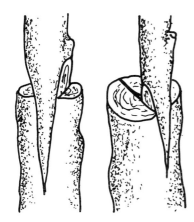

favorisent la formation du cal

Il s'agit d'un mode de greffage très simple. Il est très utilisé pour reproduire les arbustes et les arbres ornementaux à fleurs ou à fruits comme le cerisier, le poirier, le prunier, le sorbier, l'hibiscus, le bouleau, l'aubépine, le cerisier, le **Cotoneaster** et la glycine.

Il est conseillé de laisser en dehors de la fente une petite partie de l'extrémité du greffon pour stimuler la formation du cal.

On peut greffer à n'importe quelle hauteur de la tige, mais pour obtenir de beaux bonsaïs, il est préférable de greffer à l'endroit où commencent à pousser les racines; le cal qui s'y formera fera grossir la base du tronc. On taille le greffon en biseau sur environ 4 centimètres partant à côté d'un bourgeon et en descendant vers le centre. On taille ensuite de la même manière la partie opposée du greffon.

On insère avec délicatesse la pointe du greffon dans la fente pratiquée sur le porte-greffe, en veillant à faire coïncider les tissus de l'écorce. Si le porte-greffe a un diamètre large, la pointe du greffon doit être faite de manière que l'écorce soit d'un seul côté et adhère avec les tissus du tronc du porte-greffe. On ligature solidement avec du raphia et l'on mastique soigneusement.

La greffe en placage

Elle sert pour faire pousser un rameau sur un tronc excessivement long et mince. On la réalise sur des noisetiers, des érables et des rhododendrons. La saison la plus propice est, comme pour toutes les autres greffes, le printemps.

Il est toujours préférable que le porte-greffe se réveille après une période de repos donc, surtout pour les coni-

Des branches latérales obtenues par greffage

fères, on l'arrose moins les 3 ou 4 semaines précédant l'opération. Même le greffon doit être le plus possible au repos. On insère la pointe du greffon, faite de manière à obtenir deux coupes opposées légèrement inégales, dans la coupe latérale du porte-greffe. On ligature et on recouvre de mastic à greffer.

Dès que les deux parties se seront soudées, on enlèvera la ligature et l'on coupera la tête du porte-greffe, sauf si la greffe a été faite pour obtenir une branche basse.

La greffe de côté

Cet autre type de greffe, assez voisin, est pratiqué en particulier sur les conifères à la fin de l'hiver ou en début de printemps, ou bien, et c'est peut-être mieux, à la fin de l'été lorsque la résine a une circulation plus lente et transsude.

Pour les conifères, l'extrémité du greffon doit comprendre, d'un côté, une partie du bois et de l'écorce. Après le greffage, la plante doit être gardée dans un lieu chaud et humide, en évitant de trop mouiller les racines. Si l'opération est effectuée sur un seul conifère en pot, il est conseillé de l'enfermer pendant au moins 4 semaines dans un sac en matière plastique transparente. Dès que le cal est formé, on laisse la plante s'adapter progressivement au milieu en perçant le sac au fur et à mesure et en l'enlevant définitivement après 6 à 8 semaines.

La greffe en écusson

Cette greffe sert couramment pour la multiplication des rosacées et se pratique lorsque l'écorce se détache du bois entre le mois de mai et d'août (normalement pendant la deuxième moitié de l'été).
On incise en forme de T l'écorce du porte-greffe et l'on soulève les lèvres de l'entaille. On choisit un bourgeon dormant de la plante que l'on veut reproduire. On coupe la feuille de façon à ne conserver que le pétiole. On coupe le bois qui adhère à l'écorce du bourgeon et l'on insère celui-ci dans l'entaille en forme de T du porte-greffe. On ligature avec un ruban en laissant le bourgeon à découvert et l'on recouvre de mastic. Dès que les parties se seront bien soudées, on coupe le porte-greffe au-dessus du bourgeon.

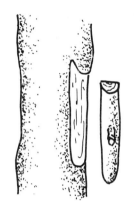

La greffe en placage simple

Il existe une variante de la greffe en écusson, peut être la méthode la moins facile.
Un fragment d'écorce et de bois est prélevé du porte-greffe et remplacé avec un autre de dimensions égales contenant le bourgeon de la plante que l'on veut reproduire.
Elle peut être réalisée à tout moment de l'année, à condition que les bourgeons soient prêts et que la température dépasse 10° C. On pratique dans le porte-greffe une coupe identique à celle du greffage en placage et l'on y fait adhérer le bourgeon du greffon avec son propre bois. On ligature et on englue. Lorsque le bourgeon est bien soudé, l'hiver suivant, on coupe la partie supérieure du porte-greffe.

Le marcottage aérien

Pour réaliser le marcottage il faut connaître la circulation de la sève. Il existe deux flux de sève:
- la sève brute, très importante pour la croissance des végétaux, qui remonte des racines aux feuilles à travers les vaisseaux ligneux internes du tronc;
- la sève élaborée qui descend vers les racines en partant des feuilles à travers les vaisseaux externes, situés sous l'écorce et appelés vaisseaux libériens, et qui transportent les substances nutritives élaborées.
La circulation de la sève brute pourrait être comparée à la circulation artérielle, celle de la sève élaborée, à la circulation veineuse.

Si l'on arrête, par suppression ou corsetage des vaisseaux libériens externes, le flux de la sève élaborée vers le bas, il se forme des dépôts de substances nutritives et, grâce à l'excitation des cellules du cambium situées entre les vaisseaux ligneux et les vaisseaux libériens, on peut obtenir dans des conditions particulières des racines.

Il est évident que si l'on applique cette technique sur le tronc séparant les racines du feuillage, on empêche les substances nutritives d'atteindre les racines, et l'on provoque la mort de l'arbre.

Si l'on effectue le marcottage sur une branche de la plante, il n'y aura pas de problèmes.

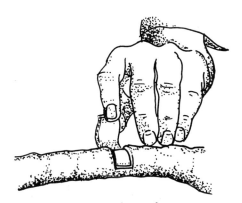

Incision du liber et du cambium

Pendant cette phase, on utilise du terreau universel et du sable

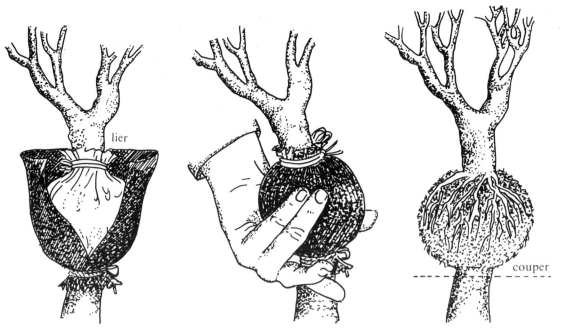

Insertion d'une feuille de matière plastique noire

Contrôle de la présence de racines

Coupe en dessous des racines

lier

couper

Après le rempotage, la plante doit être gardée à l'ombre 12 à 20 jours

Élimination du morceau de tronc avant le rempotage dans une coupe pour bonsaï

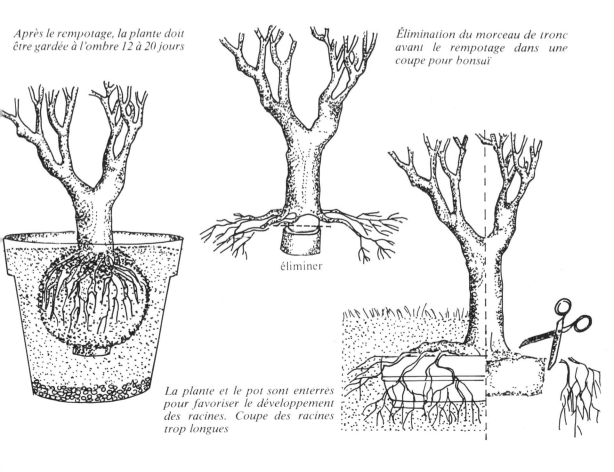

éliminer

La plante et le pot sont enterrés pour favoriser le développement des racines. Coupe des racines trop longues

Cependant, pour obtenir des bonsaïs je vous conseille de commencer avec des plantes de pépinière. Leur système radiculaire n'est pas développé en largeur. Souvent elles sont déjà rempotées. Il est, en outre, possible de mettre en forme le feuillage sans intervenir sur les racines (la taille des racines peut être effectuée au printemps en même temps que les interventions de taille sur le feuillage). Un système radiculaire intact permet la torsion du tronc, ainsi que celle visant à diriger les branches, et favorise la cicatrisation des plaies internes. On pourra donc obtenir en moins de temps un feuillage avec un tronc et des branches bien proportionnés. De plus, un système radiculaire compact s'adapte au pot pour bonsaï.

Il vaut mieux ne pas intervenir sur une plante dont les caractéristiques nous déplaisent: on risque d'obtenir un bonsaï peu intéressant. Mais lorsqu'on choisit une plante dans une pépinière, il ne faut pas non plus se laisser attirer par une essence.

Il est préférable de choisir des plantes avec des branches basses, des feuilles petites, des entre-nœuds peu espacés. Si la plante est en pleine terre, il faut vérifier la direction des racines avant de l'arracher.

Il faut faire particulièrement attention au point de greffage. La plupart des plantes de pépinière sont greffées pour pouvoir perpétuer des caractéristiques spécifiques et stimuler la croissance de la plante grâce à l'apport de substances nutritives fournies par un système radiculaire puissant.

La greffe se remarque par le grossissement du tronc au point où les vaisseaux capillaires du système radiculaire du porte-greffe fusionnent avec ceux de la partie aérienne.

La greffe des conifères se cache difficilement. On ne la masque bien que si la partie en bas est plus grosse que celle du haut.

Il faut donc choisir des plantes où la greffe n'est pas trop visible. Pour les plantes à feuilles caduques, et en particulier pour les cerisiers, les pêchers, les pommiers, le point de greffage peut contribuer à créer un pied important.

On peut obtenir un bonsaï à partir de la portion greffée tout en profitant de la vitalité d'un porte-greffe qui est souvent un arbre sauvage.

On procède de la manière suivante:

- on rempote la plante taillée; on place autour du tronc, jusqu'au point de greffage, un tube en plasti-

que coupé verticalement et fermé par des bagues de fil métallique;
- on incise légèrement le tronc;
- on remplit le tube de terre mélangée à 30% de sable.

Au bout d'un an, il sera possible de couper la partie inférieure formée par les vieilles racines et une partie du tronc puisque les nouvelles racines, suffisantes pour faire vivre la plante, se seront développées sous le point de greffage.

L'arbre va ainsi acquérir un beau pied et le feuillage, plus bas, va pouvoir être structuré.

On trouve dans les pépinières de nombreux arbres s'adaptant parfaitement à l'art du bonsaï.

Le point de greffage est maintenant le pied de l'arbre

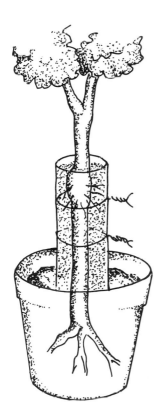

Comment faire développer des racines près de la greffe

Les bonsaïs naturels

Je peux dire qu'un amateur de bonsaïs résiste difficilement à la tentation de récolter un bonsaï trouvé dans la nature.

La plante que la nature a transformée en bonsaï n'a pas de valeur écologique et est presque toujours vouée à la mort au bout de très peu de temps. La personne qui la récolte ne provoque donc pas de dégâts, mais au contraire garde une plante en vie. La preuve en est que dans certains pays, on peut obtenir la permission de récolter les plantes bonsaïs des forêts domaniales.

Cependant, l'amateur ne prend pas dans la nature les spécimens qui doivent subir un processus de miniaturisation. Il sait que cela provoque des dégâts pour l'environnement et que l'enracinement de ces plantes présente de graves difficultés en raison d'un système radiculaire non équilibré à la base du tronc.

Il est donc préférable d'acheter des plantes dans une pépinière, et l'on peut en trouver à prix peu élevé et en très bonne santé.

L'enracinement des bonsaïs naturels en pot est extrêmement difficile et l'on conseille de préparer la plante sur place pendant un ou deux ans.

Pour la préparation de la plante, on procède de la façon suivante. Avant tout, on l'observe bien et si elle plaît réellement en rentrant chez soi on prend note de l'endroit, du type et de l'essence de l'arbre observé.

Au printemps ou à la fin de l'été de la même année, on prend une pioche, une pelle, un couteau aiguisé, une feuille de matière plastique noire et, éventuellement, des hormones de bouturage en poudre. Avant de commencer à préparer le spécimen, il faut l'observer encore une fois de manière critique et s'il en vaut vraiment la peine, on procède à une taille grossière.

On trace un cercle imaginaire avec un rayon d'environ 15 centimètres avec au centre la base du tronc et l'on commence à creuser selon ce cercle, en pratiquant un canal large de 10 centimètres environ et profond de 15 à 20 centimètres.

On ne commence pas à creuser n'importe où, mais du côté où se ramifie la première grosse branche, ou bien du côté sud. Il existe, en effet, une correspondance entre la direction des branches et celle des racines, sauf si des rotations du tronc ont supprimé cette correspondance.

On creuse vers le sud, où le sol, plus chaud, favorise le développement des racines. Le but de l'opération est de couper les grosses racines latérales pour faire développer sur les coupes des racines capillaires. Dès que l'on trouve une ou deux grosses racines (leur nombre dépend de leurs dimensions), on les coupe et l'on applique des hormones de bouturage qui encouragent le développement des racines. On insère dans la branchée la feuille de matière plastique pour que les petites racines qui vont se former sur la coupe ne s'étalent pas dans le sol meuble, mais restent dans la motte de terre autour du tronc de manière à pouvoir être contrôlées plus facilement. On remet de l'autre côté de la feuille en matière plastique la terre enlevée du sillon et on laisse la plante reposer.

S'il s'agit de conifères ou de plantes présentant une seule racine, celle-ci sera serrée avec un lien de cuivre de façon à laisser développer des racines en amont. L'opération demande du temps, mais souvent cela en vaut la peine.

À l'automne de l'année suivante, on enlève la terre de l'autre côté de la feuille en polythène et, en déplaçant la feuille, on regarde les coupes pour voir si elles ont bien réagi au traitement. Si l'on voit sur les coupes une couronne de racines capillaires actives et suffisamment vigoureuses, on creuse et l'on extrait la plante. Il faut parfois attendre 2 ou 3 ans avant de pouvoir procéder à cette dernière opération. La récolte se fait en automne, en septembre ou en octobre, avant le repos hivernal définitif, surtout si la plante pousse à une altitude plus élevée que celle où vous vivez. L'opération peut avoir lieu au printemps seulement si la plante appartient à votre région. Lorsque l'on récolte au printemps, il arrive souvent que la plante passe d'un lieu où la température est déjà chaude à un autre où elle est encore froide ou vice-versa. Dans les deux cas, les conséquences sont graves: on risque soit le pourrissement des racines, soit le développement trop rapide des pousses qui absorbent toutes les substances nutritives et l'eau de réserve des troncs. Dans ce cas, les coupes n'arrivent pas à cicatriser et les racines ne génèrent pas d'autres racines capillaires.

Après cette végétation de printemps forcée, la plante meurt.

En revanche, lorsque la plante est récoltée en automne et protégée des gelées, elle commence par la phase de repos hivernal. Les plaies produites lors des dernières opérations de récolte vont se cicatriser et, au printemps, la plante se réveille avec la température régulière de l'endroit où elle a été placée.

Si l'on est obligé de la récolter au printemps, surtout dans le cas où la motte de terre s'effrite ou si les racines sont peu nombreuses, il faut mettre la plante dans une serre froide ou, si cela n'est pas possible, la mettre dans un sac en polyéthylène transparent et la placer à l'ombre pour empêcher la transpiration excessive des feuilles et permettre le développement des racines capillaires qui vont recréer l'équilibre du cycle d'irrigation.

Cognassier
(Pseudocidonia sinensis)

Les bonsaïs d'intérieur

Aucune plante n'est née pour vivre dans un appartement. **Ficus benjamina** est une plante d'intérieur dans le nord de l'Europe et une plante d'extérieur dans le sud. Le ficus craint le gel et supporte, quoiqu'avec des signes de souffrances évidents, le peu de lumière et d'air des maisons chauffées.

C'est une essence des forêts tropicales à croissance rapide qui exige toujours, si l'on veut en faire un bonsaï, des tailles sévères.

Malheureusement, l'intervention de l'homme, trop évidente, nuit à l'esthétique du bonsaï.

Sous nos climats, il faut les garder **à l'extérieur** au moins pendant les mois de **mai, juin, juillet, août** et concentrer dans cette même période les opérations de rempotage (à effectuer tous les ans), de taille (en mai) et de fertilisation. Avant d'allumer le chauffage, il faut rentrer les ficus dans l'appartement en les plaçant dans un premier temps près de la lumière pour que les plantes s'adaptent progressivement et sans choc à l'intérieur. À la maison, les arrosages doivent être réduits, mais il faut vaporiser le feuillage tous les jours.

Il est préférable de mettre le pot pour bonsaï dans un large plateau rempli d'eau en plaçant des cales pour que les orifices de drainage soient plus hauts que la surface de l'eau. Le pot doit être tourné toutes les semaines pour éclairer le feuillage de manière uniforme et ne pas altérer sa forme.

Il faut éviter de **tailler la plante en hiver**; au cours de cette période, la croissance doit être freinée le plus possible.

Un dépôt de calcaire risque, en outre, de se former en raison de la circulation d'air plus faible et de la stagnation de l'eau. De ce fait, le drainage des pots des bonsaïs d'intérieur doit être particulièrement soigné et efficace.

Une différence fondamentale entre le bonsaï d'intérieur et celui d'extérieur est que ce dernier reflète les caractéristiques idéalisées d'un arbre ancien. Pour le bonsaï d'intérieur, et notamment pour toutes les variétés de ficus, cela n'est pas possible, sauf s'il s'agit d'exemplaires de grandes dimensions.

La plante d'intérieur ne correspond plus aux caractéristiques du bonsaï, mais elle devient tout simplement une plante décorative et la définir "bonsaï" revient à priver ce concept de sa valeur. Le petit bonsaï d'appartement ne satisfait que très difficilement l'amateur, alors qu'un **Zelcova**, un bois de hêtres, un sapin ou un pin représentent, en miniature, l'environnement naturel dont nous faisons également partie.

Pommier
(Malus sieboldii)

Le calendrier des travaux

Au printemps

bourgeons

Taille incorrecte

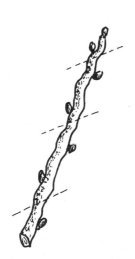

Taille correcte

C'est la saison dans laquelle se concentrent les opérations les plus importantes. On procède aux **rempotages, à la taille des plantes à feuilles caduques, aux traitements antiparasitaires** de prévention et aux premiers **fumages.** Pour les plantes à feuillage caduc, les **rempotages** doivent s'effectuer périodiquement, au moment du grossissement des pousses: tous les 2 ou 3 ans, pour les plantes jeunes, tous les 4 ou 5 ans pour les plus anciennes qui ont déjà atteint l'équilibre des plantes adultes.

Les conifères ne supportent pas bien le rempotage. Il faut les rempoter seulement lorsque les pousses sont déjà bien développées: tous les 3 à 5 ans, pour les plantes jeunes, tous les 5 à 7 ans pour les vieux arbres. Lors du rempotage, on remplace la terre en partie et il n'est pas nécessaire d'utiliser un pot de plus grandes dimensions. On supprime de 2 à 3 centimètres de motte, en la remplaçant avec la nouvelle terre; les plantes qui ne sont pas rempotées sont fertilisées.

La **taille** peut être une taille de mise en forme ou une taille d'entretien et de nettoyage pour les plantes à feuilles caduques. Les pins et les sapins ne sont pas taillés.

Lors des tailles, la coupe en biseau doit être faite, si possible, vers le haut et le bourgeon terminal restant doit être situé dans la partie basse. Pour les arbres à fleur, la taille et le rempotage s'effectuent après la floraison.

À la fin du printemps (mai), on écime avec les ongles les petites chandelles des pins et les pousses des sapins, avant que les aiguilles ne s'allongent et s'éloignent les unes des autres. En effectuant cette opération à la main, on évite les cicatrices noirâtres provoquées sur les aiguilles par les ciseaux. Dès que les bourgeons s'épanouissent, il est préférable de procéder à un **traitement antiparasitaire** avec des insecticides classiques et des huiles blanches émulsifiables en cas de cochenilles. Si l'année précédente la plante était atteinte d'une maladie cryptogamique, la désinfection avec des produits adaptés, du soufre soluble ou d'autres produits à base de cuivre, est indispensable pour la plante et pour la terre. À la fin du printemps, on procède, en règle générale, à un **fumage** puis à un **effeuillage éventuel** pour les plantes à feuilles caduques.

En été

Il est indispensable de ne pas faire subir aux plantes de brusques variations d'humidité. Certaines essences, telles que les mélèzes et les érables, doivent être placées au nord.

On arrose le soir. Si l'on arrosait le matin, quelques heures plus tard le pot serait sec et les racines n'auraient pas eu le temps nécessaire pour absorber l'eau indispensable à la régénération des réserves hydriques utilisées pendant les heures chaudes de la journée. L'air doit bien circuler autour du pot et à travers le feuillage.

À la fin de l'été, **on fertilise** avec un produit riche en phosphore et l'on taille les longues pousses des plantes à fleur et à fruit. Cette fertilisation stimulera l'activité des bourgeons dormants et rendra le bois plus fort en lui permettant ainsi de supporter la rigueur du climat hivernal.

C'est à cette saison que l'on effectue **la taille des conifères qui** peut être sévère ou d'entretien. On gardera cependant sur les branches taillées quelques aiguilles; c'est à l'aisselle de celles-ci que vont se développer les yeux dormants qui à la saison suivante formeront les nouvelles pousses.

En automne

En automne peuvent apparaître les **maladies fongiques**. Les spores des champignons en tombant sur le sol avec les feuilles se développeront au printemps suivant où il sera nécessaire de procéder à une désinfection.

Il est utile de **fertiliser les conifères** qui continuent leur activité d'absorption par les racines.

En hiver

Le bonsaï ne doit pas être rentré en hiver, mais **le pot doit être protégé** des gelées: non seulement pour éviter que le récipient ne se casse, mais surtout pour ne pas endommager les racines capillaires et les poils absorbants.

Il est recommandé **d'enterrer** les pots dans de la terre et du sable, en pleine terre ou dans des gros récipients, en protégeant la base du tronc avec des feuilles séchées et en gardant à découvert le feuillage. Il est préférable que les plantes soient gardées au nord, ceci pour éviter un réveil éventuel dû aux réchauffements précoces de la température du printemps qui sont presque toujours suivis par des gelées extrêmement nuisibles. Les plantes vont reposer sous la neige et, au printemps, elles auront l'aspect charmant des plantes au réveil.

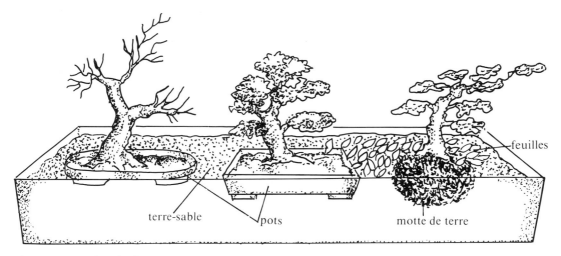

feuilles

terre-sable   pots   motte de terre

Comment protéger les bonsaïs en hiver

Juniperus pungens
*Hauteur 60 cm. Coupe rectangulaire non émaillée
(photographie de AB Antonio Buzzi)*

Juniperus chinensis
*Hauteur 85 cm. Coupe rectangulaire non émaillée
(photographie de AB Antonio Buzzi)*

LES BONSAÏS ET LES
MINI-BONSAÏS:
LES ESPÈCES

Acacia

(Robinia pseudo-acacia)
Hauteur: 120 centimètres
Coupe ronde

Arbre: dans la nature, il peut atteindre 25 mètres
Fleurs: zygomorphes, en grappe de 10 à 20 centimètres
Feuilles: composées
Fruits: en gousse
Multiplication: par semis et bourgeons

Hauteur bonsaï: à partir de 50 centimètres
Arrosage: tous les jours pendant la période végétative
Exposition: ensoleillée
Structuration: uniquement taille et écimage des pousses herbacées
Maladies: cochenilles, oïdium et pucerons
Taille: exclusivement pendant la période de repos
Rempotage: peu fréquent
Style: droit formel et informel
Type de terreau: tout type de compost

L'acacia est une plante fascinante par son écorce, par sa forme élégante et par sa floraison riche et très parfumée. Pendant l'automne 1984, la plante ici présentée, déjà structurée avec son tronc élégant, tourmenté, et des branches déjà positionnées, laissait prévoir une riche floraison. Pendant cette période, l'arbre a été planté dans la coupe où il se trouve actuellement. Pendant l'hiver 1984, il a été gardé à l'abri. Au printemps 1985, il a donné des bourgeons, mais pas de fleurs. Au printemps 1986, la floraison attendue ne s'est pas manifestée, mais la santé et la beauté de la plante restent inchangées. Il n'y a plus qu'à attendre.

Aulne

(Alnus glutinosa)
Hauteur: 70 centimètres
Coupe rectangulaire beige

Arbre: dans la nature, il atteint et dépasse 20 mètres.
Fleurs: fleurs mâles en chaton et inflorescences femelles ressemblant aux pignes
Feuilles: arrondies aux bords dentés avec des nervures parallèles
Multiplication: par semis, bouturage et marcottage

Hauteur bonsaï: à partir de 40 centimètres
Arrosage: très abondant tous les jours
Exposition: mi-ombre
Structuration: exclusivement en hiver par la taille
Maladies: cochenilles, aleurodes, pucerons
Taille: en hiver
Rempotage: peu fréquent
Style: droit informel, à partir de la même souche, arbre de groupe
Type de terreau: universel.

Cette plante est née par semis en 1968 et a toujours été cultivée en pot. Le pied, très intéressant, est formé par deux grosses racines qui, après avoir entouré quelques pierres, s'allongent à la surface du terrain. Le feuillage est arrondi et l'épaisse ramification est soutenue par un tronc double qui rappelle le système radiculaire. C'est une plante qui a besoin de beaucoup d'eau et elle doit donc être protégée de la chaleur estivale.
Son moment magique est le début du printemps, lorsque les bourgeons turgescents et violacés accrochent une note de couleur aux branches d'un gris cendré caractéristique. La coupe rectangulaire contraste et fait ressortir la ligne souple du feuillage; sa couleur bleue s'adapte à l'élégance de l'ensemble.

Bignone
(Bignonia capensis)
Hauteur: 30 centimètres
Coupe carrée bleue

Arbrisseau: grimpant
Fleurs: en trompette, calice à 5 lobes
Feuilles: pennées-composées
Fruits: capsule avec graines déhiscentes
Multiplication: par semis et bouturage

Hauteur bonsaï: à partir de 30 centimètres
Arrosage: tous les jours en été
Exposition: plein soleil
Structuration: taille au printemps
Maladies: cochenilles, pucerons
Taille: toute l'année
Rempotage: peu fréquent
Style: droit informel, semi-cascade, cascade
Type de terreau: universel

Cette bignone est née par bouturage en septembre 1970. Elle présente une très belle base et un tronc sinueux original. La ramification est déjà moins rapide. Les entre-nœuds sont peu espacés et les feuilles composées ont des dimensions réduites. Bien qu'elle ait toujours été élevée pour devenir un bonsaï, elle est corsetée avec quelques fils de cuivre pour diriger le feuillage, déjà formé, en vue de former un équilibre différent. De juillet jusqu'au gel hivernal, elle est très riche en fleurs orange-rouge. C'est une plante qu'admirent même ceux qui préfèrent les fleurs aux arbres.
La coupe bleue fait ressortir la teinte éclatante des fleurs.
Si l'arête de la coupe était dirigée vers l'observateur, on verrait mieux la sinuosité du tronc et du feuillage de cette intéressante plante grimpante.

Bouleau
(Betula alba)
Hauteur: 85 centimètres
Coupe ovale non émaillée
Plante accessoire: fétuque

Arbre: dans la nature, il atteint 10 à 20 mètres
Fleurs: chatons femelles et fleurs pendantes mâles qui mûrissent en automne
Feuilles: pubescentes, dentées et simples
Multiplication: par semis

Hauteur bonsaï: à partir de 40 centimètres
Arrosage: tous les jours et abondant
Exposition: mi-ombre
Structuration: par la taille
Maladies: aleurodes
Taille: en hiver et écimage en été pour les rameaux herbacés
Rempotage: peu fréquent
Style: droit informel, arbres de groupe, à partir du même tronc
Type de terreau: acide, mais aussi universel

Il est très difficile de rencontrer un bouleau aussi bien structuré. Il a été dressé uniquement par la nature. Il a été récolté au printemps 1986 et mis immédiatement en pot. Pour perfectionner le travail, il ne faudra que quelques années: des fertilisations à base de sels de potassium vont rendre le tronc encore plus blanc et une taille légère freinera la croissance de la végétation.
L'herbe qui l'accompagne est une fétuque très proche de la plante. La souplesse de l'herbe rappelle celle des branches de l'arbre et fait ressortir avec son vert brillant l'écorce blanche. En regardant l'ensemble, on pense immédiatement à un paysage où poussent les bouleaux.

Cèdre

(Cedrus atlantica)

Hauteur: 55 centimètres
Coupe rectangulaire bleue
Plante accessoire: *Sedum album*

Arbre: dans la nature, il atteint 35 mètres

Fleurs: nombreux chatons mâles en automne, femelles plus rares en forme de cône

Feuilles: aiguilles

Fruits: gros cônes verts, foncés à maturation

Multiplication: par semis et greffage

Hauteur bonsaï: à partir de 30 centimètres

Arrosage: tous les jours, mais seulement en été

Exposition: ensoleillée

Structuration: en fin d'été

Maladies: cochenilles sur les aiguilles, araignées rouges

Tailles: en été

Rempotage: peu fréquent

Style: droit informel, formel, semi-cascade

Type de terreau: tout type de compost, mais graveleux

Cet arbre a été acheté en pépinière au printemps 1976. Une taille sévère a permis de régénérer le feuillage avec une branche basse et de rassembler les racines dans l'espace réduit du pot de culture. Les soins ont continué pendant quelques années, de manière à bien positionner les branches et obtenir une bonne profondeur du feuillage sans pour autant cacher le tronc conique sinueux. On voit bien, au pied, les grosses racines qui donnent une idée de stabilité.

Le feuillage vert bleuté, triangulaire, caractéristique de nombreux conifères, répond aux règles esthétiques de grâce et de naturel, et s'accorde de la triangularité de la coupe dans laquelle l'arbre a été placé en 1984.

En 1986, les premières inflorescences mâles ont mûri; elles annoncent l'apparition des pignes femelles. La couleur foncée de la coupe donne de la stabilité et s'harmonise avec le ton bleu des aiguilles. Une coupe rectangulaire gris-rocher naturel aurait également été très intéressante.

La plante qui l'accompagne est un **Sedum album** qui pousse dans le pot, comme si elle était sur une vire[1] dans laquelle pousse l'arbre. La présence de cette herbe fait ressortir l'aspect naturel de l'ensemble.

---

[1] **Vire:** qualifie dans le massif alpin une rupture de pente raide qui occasionne un palier très étroit.

Charme

(Carpinus laxiflora)
Hauteur: 45 centimètres
Coupe beige
Plante accessoire: *Iris germanica*

Arbre: dans la nature, il atteint 15 mètres
Fleurs: mâles et femelles en inflorescence
Feuilles: avec de nombreuses nervures et bords dentés
Fruits: les chatons des fleurs femelles sont des bractées dentées qui protègent la graine vert-rose
Multiplication: par semis

Hauteur bonsaï: à partir de 10 centimètres
Arrosage: tous les jours pendant la période végétative
Exposition: ensoleillée
Structuration: au printemps, avant l'épanouissement des feuilles
Maladies: cochenilles, pucerons
Taille: au printemps
Rempotage: assez fréquent
Style: droit formel, informel, sur rocher, arbres de groupe
Type de terreau: neutre-acide

Cet arbre est en pleine croissance; on peut remarquer les nombreuses inflorescences.
Ce charme a été acheté en pépinière en 1980. Le gros pivot a été supprimé par ligaturage et l'on a ainsi fait apparaître les grosses racines du pied disposées en éventail. En 1984, il a été rempoté dans un pot pour bonsaï. Le tronc, encore délicat, soutient un feuillage luxuriant et ramifié, mais indispensable actuellement, alors que les soins apportés visent au grossissement du tronc. La coupe beige donne de la légèreté et de l'élan.
L'Iris germanica, qui souligne la force, est le partenaire idéal en ce moment de vigueur végétative.

Châtaignier

(Castanea sativa)

Hauteur: 55 centimètres
Coupe rectangulaire gris-bleu

Arbre: dans la nature, il atteint 30 mètres

Fleurs: chatons des fleurs mâles qui ont à la base 5 ou 6 fleurs femelles

Feuilles: larges, ovales, dentées, jaunes en automne.

Fruits: enveloppe épaisse piquante

Multiplication: par semis

Hauteur bonsaï: à partir de 60 centimètres

Arrosage: tous les jours pendant la période végétative

Exposition: mi-ombre

Structuration: en hiver, uniquement par la taille

Maladies: pucerons

Taille: en hiver

Rempotage: peu fréquent

Style: droit informel, arbres à partir de la même souche

Type de terreau: neutre-acide

La plante a été obtenue par semis en 1976. Elle a été élevée en pot de culture jusqu'en 1984. Son aspect intéressant, ainsi que la structure de l'ensemble (semblable à un arbre âgé), m'ont poussé à la mettre dans un pot pour bonsaï. Les feuilles sont encore larges, mais elles ne gênent pas l'ensemble. Le petit arbre "fils", né à sa base, équilibre le tout avec le port de son tronc et son feuillage. L'écorce dénonce la jeunesse de l'arbre, mais le pied, intéressant, promet de bons résultats en très peu de temps.

Chêne
(Quercus robur)
Hauteur: 35 centimètres
Coupe rectangulaire bleue
Plante accessoire: genévrier
(Juniperus pungens)

Arbre: dans la nature, il atteint 30 mètres et l'âge vénérable de 800 ans.
Fleurs: mâles et femelles
Feuilles: lobées, rousses en automne, résistent jusqu'au printemps
Fruits: glands
Multiplication: par semis

Hauteur bonsaï: à partir de 50 centimètres
Arrosage: tous les jours en été
Exposition: ensoleillée
Structuration: taille en hiver
Maladie: cochenilles, oïdium
Taille: sévère en hiver
Rempotage: pas trop fréquent
Style: droit informel, de groupe, plusieurs arbres sur une seule souche
Type de terreau: universel

Ce chêne est né par semis en mai 1979. Il a toujours été cultivé dans des pots de plus en plus gros jusqu'en 1984, date à laquelle il a été mis dans le récipient bonsaï dans lequel il se trouve actuellement. Avec son tronc sinueux, il serait bien même dans une coupe ovale. La couleur bleue fait ressortir le jaune vif et le brun des feuilles pendant la période qui précède le repos hivernal.
Des champignons poussent tous les ans en automne dans le sous-bois. Les feuilles sont suffisamment nanifiées. La base du tronc est déjà crevassée. L'ensemble exprime l'équilibre et la grâce.
Le genévrier, plante résistante, est en semi-cascade; il rappelle la force et la vigueur du chêne.

Criptomeria
(Criptomeria japonica)
Hauteur: 35 centimètres

Arbre: dans la nature, il atteint 60 mètres

Fleurs: mâles et femelles

Feuilles: persistantes, en spirale, recourbées, se teintant de roux en hiver.

Fruits: cônes de 2 à 3 centimètres

Multiplication: par semis et bouturage

Hauteur bonsaï: à partir de 20 centimètres

Arrosage: peu abondant, mais régulier

Exposition: ensoleillée

Structuration: en fin d'été

Maladies: cochenilles, araignées rouges

Taille: en fin d'été

Rempotage: peu fréquent

Style: droit formel, arbres de groupe

Type de terreau: terre de bruyère

Huit arbres importés du Japon en juillet 1984 ont été plantés dans une coupe peu profonde. En 1985, la motte de terre a été mise sur dalle. Des fragments de pierre, obtenus en arrondissant les angles, ont été utilisés pour bloquer le terreau. La mousse a ensuite rempli les espaces vides entre les fragments et l'ensemble est devenu homogène et très naturel. La position des huit plantes est personnelle. Les feuillages donnent l'impression d'être agités par un vent léger. La dalle, présentant une partie graveleuse et une partie rocheuse, n'alourdit pas l'ensemble, mais, au contraire, contribue à créer un paysage alpin très poétique.

Cyprès chauve
(Taxodium disticum)
Hauteur: 55 centimètres
Plante accessoire: grenadier
(Punica granatum)

Arbre: dans la nature, il peut dépasser 45 mètres
Fleurs: inflorescences mâles et femelles
Feuilles: petites, souples, aplaties, disposées à côté des rameaux, orange en automne
Fruits: petites pignes
Multiplication: par semis

Hauteur bonsaï: à partir de 40 centimètres
Arrosage: quotidien et très abondant
Exposition: mi-ombre
Structuration: presque toujours par la taille
Maladies: cochenilles et oïdium
Taille: en hiver ou au printemps avant l'éclatement des bourgeons
Rempotage: assez fréquent
Style: droit formel
Type de terreau: acide

Cette plante est née par semis en 1970. Elle a été gardée en pleine terre jusqu'en 1980, date à laquelle elle a été rempotée et écimée pour régénérer le feuillage. Un deuxième écimage sévère et un élagage ont été effectués en 1983. Ces opérations ont permis d'accentuer l'aspect pyramidal du tronc. Les plaies se cicatrisent très vite et le cal deviendra un signe de vieillesse.

Le feuillage léger de cet arbre à feuilles caduques acquiert en automne une couleur rousse caractéristique qui se transforme en brun avant la chute des feuilles. Le pied, bien ancré, est intéressant. Outre ses racines latérales, il laisse entrevoir également un gros pivot. La coupe ovale non émaillée s'adapte parfaitement.

Le cyprès chauve est accompagné d'un petit grenadier qui, par la délicatesse de ses boutons sur son tronc crevassé, rappelle le feuillage léger et le tronc vigoureux du bonsaï.

Érable

(Acer buergerianum)
Hauteur: 50 centimètres
Coupe ovale non émaillée
Plante accessoire: saxifrage
(Saxigrafa sempervivum montanum) en fleur

Arbre: dans la nature, il peut atteindre 10 à 15 mètres
Fleurs: peu voyantes
Feuilles: trilobées, caduques, rouges en automne
Fruits: en samares
Multiplication: par semis ou greffage

Hauteur bonsaï: à partir de 10 centimètres
Arrosage: tous les jours pendant la période végétative
Exposition: mi-ombre en été
Structuration: au printemps, avant l'épanouissement des bourgeons
Maladies: pourriture des racines, pucerons
Taille: sévère, au printemps
Rempotage: fréquent
Style: droit formel ou informel sur rocher
Type de terreau: neutre-acide

L'arbre a été semé et cultivé en pleine terre pendant un certain nombre d'années. Il a été acheté en 1978, date à laquelle il a été écimé lors de la taille des racines. Avec soin et maîtrise, le feuillage a été reconstruit. Les grosses plaies se sont cicatrisées. Les nouvelles racines, très épaisses, ont permis de le mettre dans un pot pour bonsaï. En 1984, il est entré dans une collection privée. À l'origine, il était dans une coupe ovale beige. Cependant, la valeur de la plante et la belle base, nous ont donné l'idée de valoriser la puissance de l'arbre avec une coupe non émaillée, mais toujours ovale pour suivre la ligne souple du feuillage.
La saxifrage en fleur ajoute une nuance de délicatesse et rend plus gracieux cet arbre au port imposant et plein de vigueur.

Érable

(Acer buergerianum)
Hauteur: 50 centimètres
Coupe ovale non émaillée
Plante accessoire: saxifrage
*(Saxifraga sempervivum
montanum)*

Cet exemplaire sur rocher de lave a été importé du Japon en 1980. Le feuillage était très réduit. L'arbre, écimé probablement l'année précédente, présentait une grosse plaie et quelques branches faibles. Il était placé dans une coupe rectangulaire non émaillée.

La base était très intéressante. Les interventions de ces six dernières années visaient à la structuration du feuillage, le choix des branches et du tronc, et la cicatrisation de la plaie. Aujourd'hui, l'arbre est presque parfait. Même le pot est harmonieux. Lorsqu'il sera rempoté, on choisira une coupe verte, peu profonde, large et ovale, même si la base et le tronc, évidents et massifs, ressortent bien dans cette grande coupe non émaillée.

L'herbe qui accompagne l'arbre est une saxifrage en fleur. Elle vit dans les fissures des rochers, comme l'arbre.

L'ensemble donne une impression de force et rappelle un paysage rocheux idéalisé où la vie est pourtant présente.

Érable

(Acer campestre)
Hauteur: 35 centimètres
Coupe bleue
Plante accessoire: saxifrage
(Saxifraga cuneifolia)

Arbre: dans la nature, il peut atteindre 10 à 15 mètres
Fleurs: peu voyantes en inflorescences
Feuilles: palmées, caduques, jaune doré
Fruits: en samares
Multiplication: par semis

Hauteur bonsaï: à partir de 30 centimètres
Arrosage: tous les jours pendant la période végétative, moins souvent en hiver
Exposition: mi-ombre
Sructuration: au printemps, avant l'épanouissement des bourgeons
Maladies: cochenilles, oïdium
Taille: parfois sévère
Rempotage: plus fréquent lorsque l'arbre est jeune
Style: droit formel ou informel, sur rocher, tourmenté par le vent
Type de terreau: neutre-acide

Ces plantes sont nées par semis en 1970. En 1979, elles ont été placées sur le rocher. Le rocher a été trouvé sur le bord de la mer Méditerranée, les traces laissées par les mollusques étaient très visibles. Il a tout de suite paru très beau couvert et en grande partie caché par les racines. L'arbre n'a jamais subi d'interventions sévères. Sa mise en forme a duré dans le temps, au point qu'aucune cicatrice, ni traces de fil de corsetage n'est visible. Tout a été fait par les tailles. Les deux troncs qui forment un seul feuillage triangulaire sont très naturels.

La coupe ovale et bleue fait ressortir en automne la couleur jaunâtre des feuilles.

L'herbe qui pousse à côté est une saxifrage qui fleurit tous les ans en se transformant en un nuage blanc.

Érable

(Acer campestre)

Hauteur: 40 centimètres
Coupe ovale non émaillée
Plante accessoire: fougère
(Ceterach officinale)

Ces arbres ont été semés en 1972. En 1974, on a commencé à les élever séparément dans des pots de culture pour rendre les troncs sinueux.

On a ensuite corseté les branches pour donner l'idée d'un feuillage plié sous le vent (sur certaines branches, les traces du lien sont encore visibles).

En 1980, les arbres ont été regroupés dans un seul ensemble. Il a été très difficile d'harmoniser les troncs sinueux. La ligne arrondie du pot suit celle du feuillage; la couleur du récipient se marie avec les nuances de vert du sous-bois et la masse verte plus brillante des feuilles.

Érable

(Acer campestre)

Hauteur: 40 centimètres sur rocher

Plante accessoire: *Rhodiola rosea*

La coupe peu profonde fait ressortir la couleur foncée de l'élégant rocher entouré des racines de l'arbre. La plante est née par semis en 1972. Elle a été gardée pendant des années dans un pot de culture sans soins particuliers. La croissance de l'arbre était déjà moins rapide lorsque, en 1981, on a décidé de la rempoter. On s'est aperçu à ce moment-là que trois grosses racines prenaient naissance au collet et qu'elles ne pouvaient pas être supprimées. On a donc choisi une pierre adaptée et l'on y a placé les racines en les liant avec du raphia. Le tout a été remis dans le même pot de culture, en protégeant avec un tissu les racines non enterrées et accrochées au rocher. Les racines ont bien adhéré à la pierre. En 1984, on a choisi la coupe dans laquelle il se trouve actuellement. Les feuilles déjà miniaturisées rendent plus délicat le feuillage régulier.

L'herbe qui l'accompagne est une **Rhodiola** qui vit bien sur les rochers et recrée le paysage âpre dans lequel on imagine que le bonsaï a vécu.

Punica granatum
Hauteur 35 cm. Coupe bleue. Plante accessoire: Silene rupestris
(photographie de Isacco Formentini)

Criptomeria japonica
Hauteur 35 cm. Bosquet sur lauze (photographie de Isacco Formentini)

Larix decidua
Hauteur 85 cm. Coupe ovale non émaillée
(photographie de Isacco Formentini)

Érable
(Acer palmatum)
Hauteur: 40 centimètres
Coupe rectangulaire marron

Arbre: dans la nature, il atteint 10 mètres
Fleurs: peu voyantes
Feuilles: palmées, profondément incisées (7 à 11 lobes)
Fruits: en samares
Multiplication: par semis et greffage

Hauteur bonsaï: à partir de 15 centimètres
Arrosage: tous les jours pendant la période végétative
Exposition: mi-ombre, au nord en été
Structuration: au printemps, faire attention à l'écorce délicate
Maladies: pourriture des racines, pucerons
Taille: au printemps et d'entretien fin mai
Rempotage: plus fréquent lorsque les arbres sont jeunes
Style: droit informel, arbres de groupe
Type de terreau: acide

La coupe n'est pas adaptée pour ce jeune spécimen obtenu par semis. Les deux plantes sont nées en 1976. Elles ont été élevées dès le début dans des pots séparés en vue d'obtenir des bonsaïs. Les deux troncs, dont l'un était double, ont été rapprochés pour que leur pied fusionne et ont été ensuite mis dans le récipient actuel en 1984. La base est intéressante. Le feuillage est proportionné et homogène et, bien qu'il soit épais, il laisse entrevoir la ligne conique du tronc.
Ce spécimen va montrer de plus en plus sa structure simple et originale.
Il a besoin d'une coupe ovale bleue pour faire ressortir le feuillage flamboyant de l'automne.

Érable
(Acer palmatum)

Hauteur: 40 centimètres
Coupe bleue
Plante accessoire: fraisier
(Fragaria vesca)

Cet arbre, obtenu par semis en 1966, a toujours été cultivé en pot. Il présente une base intéressante et un feuillage triangulaire un peu étalé par rapport au diamètre du tronc.

Une branche qui s'opposait à la branche la plus en basse a été coupée deux fois mais un nouveau bourgeon a toujours reparu sur la blessure. Pour cette raison, on a décidé de ne plus la supprimer, même si elle ne correspond pas exactement aux critères esthétiques. Les soins apportés ont permis à la partie terminale de ne pas l'emporter sur les autres: l'arbre est luxuriant partout et pourrait supporter sans problème un effeuillage pour la miniaturisation des feuilles.

Le fraisier est un compagnon idéal pour les plantes à feuilles caduques comme l'érable. La couleur de la coupe fait ressortir le rouge des feuilles en automne.

Érable
(Acer palmatum)
Hauteur: 45 centimètres
Coupe bleue
Plante accessoire: thym
(Thymus vulgaris)

Le feuillage a été régénéré après avoir été écimé en 1980. À l'époque, l'érable avait déjà atteint des dimensions remarquables et son pied était intéressant (seul point de départ du futur bonsaï). C'est une variété de semence très intéressante par sa couleur jaune-vert au printemps, par ses feuilles palmées aux bords ondulés. En automne, le feuillage a des tons jaunes.

Le tronc droit et le feuillage triangulaire expriment la puissance. La coupe rectangulaire suit la ligne du feuillage; sa couleur foncée donne à l'arbre de la stabilité.

Le choix du thym, aux feuilles bleues et parfumées contrastant avec les troncs lignifiés et écailleux, est particulièrement approprié pour donner à l'ensemble plus de délicatesse sans rien enlever de la force de l'arbre.

Érable

(Acer palmatum)
Hauteur: 75 centimètres
Coupe rectangulaire bleue

Cette plante a été greffée sur un érable vert en 1970. Le point de greffage et le pied bien visible sont devenus des caractéristiques positives de la plante. Elle a un port droit, élégant et très naturel.

Au printemps les feuilles gardent longtemps une couleur jaune-vert très délicate. En été et en automne, les nervures et les bords des feuilles se colorent de brun-rouge, en faisant ressortir la très belle forme en éventail du feuillage. Tous les ans, la plante fructifie abondamment en montrant des signes de bonne santé, d'énergie vitale et d'expérience. La coupe rectangulaire se marie parfaitement avec la linéarité de la plante; sa teinte bleue contraste et rehausse la nuance printanière du feuillage.

Érable

(Acer palmatum)

Hauteur: 90 centimètres
Coupe rectangulaire non émaillée

Cet arbre puissant à trois troncs a été réalisé au printemps 1982, au moyen d'une taille sévère de l'arbre qui mesurait alors 2,5 mètres et dont le feuillage avait une circonférence de 2 mètres. C'était une plante de pépinière prête à être plantée dans un jardin. Les racines ont été taillées et la terre de la motte a été entièrement remplacée pour pouvoir placer l'arbre dans un pot de culture avec un terreau acide et léger, plus adapté à la croissance forcée en pot. Il fallait, en effet, faire cicatriser les grosses racines, recréer des bifurcations proportionnées et, en même temps, obtenir un feuillage pas excessivement dense. Au printemps 1985, l'arbre a été mis dans un pot pour bonsaï dont le choix ne me satisfait pas trop, même si la forme et la couleur sont adaptées à un arbre aussi imposant. Il serait préférable d'employer une coupe ovale ou rectangulaire bleu clair ou verte pour créer un contraste avec le feuillage flamboyant de l'automne.

Frêne
(Fraxinus excelsa)
Hauteur: 35 centimètres
Coupe bleue

Arbre: dans la nature, il peut atteindre 40 mètres

Fleurs: elles apparaissent avec les feuilles, en panicule opposée

Feuilles: composées, impaires pennées (de 9 à 15 petites feuilles sans pétiole)

Fruits: en samares

Multiplication: par semis

Hauteur bonsaï: à partir de 50 centimètres

Arrosage: régulier et abondant

Exposition: mi-ombre

Structuration: par la taille et le pincement des pousses jeunes

Maladies: péronospora, cochenilles, oïdium, pucerons, araignées rouges

Taille: automne-hiver

Rempotage: peu fréquent

Style: droit informel, arbres de groupe

Type de terreau: universel

Cette plante a été récoltée dans la nature en 1980. On aperçoit encore les coupes sur le pied et sur le tronc qui vont devenir intéressants lorsque le cal aura bien couvert les cicatrices. Ce type de frêne s'adapte mal à la miniaturisation, sauf si l'on réalise un grand arbre ou un grand groupe. L'arbre a, en effet, des feuilles composées très larges; sa ramification est peu répartie. La plante est très belle en automne et au printemps, car de grandes pousses noires turgescentes apparaissent, regroupées par zones, aux extrémités des branches grises à écailles plus foncées.

Le port penché de l'arbre lui donne de la personnalité. Les feuilles sont trop grandes, mais elles peuvent imiter des branches de feuillage et ne gênent pas. La coupe ronde est un choix juste. La couleur pourrait être moins foncée malgré le caractère fort et vigoureux de la plante.

Fusain

(Euonymus alata)
Hauteur: 50 centimètres
Coupe bleue émaillée mate
Plante accessoire: *Iris germanica*

Arbre: dans la nature, il atteint 5 mètres
Fleurs: petites avec 4 pétales jaune-vert
Feuilles: opposées, ovales-lancéolées, rouges en automne
Fruits: capsules rouges à 4 lobes contenant les graines enveloppées par une masse orange.
Multiplication: par semis

Hauteur bonsaï: à partir de 20 centimètres
Arrosage: tous les jours pendant la période végétative
Exposition: ensoleillée
Structuration: au printemps
Maladies: cochenilles
Taille: structurelle au printemps et d'entretien pendant la saison végétative
Rempotage: peu fréquent pour avoir une fructification abondante
Style: droit informel
Type de terreau: tout type de compost

Cette plante, achetée en hiver 1983, avait déjà une mise en forme grossière. Elle a été importée du Japon par le Centre de Bonsaïs de Heidelberg en 1981-82; elle apparaît, en effet, dans quelques catalogues privés de visiteurs du Centre.

Le premier souci a été de rendre la ramification plus épaisse et d'obtenir simultanément une bonne fructification. Le moment magique est, en effet, l'automne, lorsque parmi les feuilles d'un rouge brillant apparaissent les fruits jaune orangé.

Ce spécimen est remarquablement beau par l'équilibre du tronc double qui soutient un feuillage proportionné et très ramifié. Les cals ont déjà effacé les traces des interventions. La coupe bleue contraste bien avec la teinte d'automne du feuillage et des fruits; elle s'adapte en été au vert des feuilles. La plante qui l'accompagne donne à l'ensemble du naturel, car les fusains et les iris sont des plantes très rustiques, typiques des pentes abruptes exposées au soleil.

Gingko
(Gingko biloba)

Hauteur: 50 centimètres
Coupe ovale bombée non émaillée
Plante accessoire: *Iris germanica*

Arbre: dans la nature, il atteint 30 mètres
Fleurs: dioïques, les fleurs femelles ont 2 ovules sur un long pédoncule
Feuilles: lobées en éventail, jaunes en automne
Fruits: contiennent des amandes comestibles
Multiplication: par semis et bouturage

Hauteur bonsaï: à partir de 40 centimètres
Arrosage: régulier, mais non abondant
Exposition: plein soleil
Structuration: par la taille
Maladies: cochenilles, pucerons
Taille: structurelle en hiver, pincement des pousses herbacées
Rempotage: peu fréquent
Style: style droit particulier, droit informel
Type de terreau: universel

Cet arbre est très différent des bonsaïs de gingko très taillés. Il présente un pied intéressant, un tronc sinueux et conique, une écorce tourmentée et un feuillage réduit.
Ce bonsaï a été obtenu grâce à des interventions soignées étalées dans le temps. L'œuvre de l'homme n'est pas visible. Les entre-nœuds sont rapprochés comme ceux d'une vieille plante. Le gingko est une plante très ancienne qui existe depuis des millénaires. Elle est accompagnée d'iris, une plante herbacée qui symbolise la force et la résistance.
La coupe ovale bombée, non émaillée, est adaptée à la structure de l'arbre.

Grenadier
(Punica granatum)
Hauteur: 35 centimètres
Coupe bleue
Plante accessoire: silène
(Silene rupestris)

Arbre: dans la nature, il peut atteindre 5 m
Fleurs: orange, très voyantes
Feuilles: caduques, lancéolées, de dimensions moyennes
Multiplication: par semis et bouturage

Hauteur bonsaï: à partir de 15 centimètres
Arrosage: tous les jours en été
Exposition: ensoleillée
Sructuration: au printemps
Maladies: cochenilles, pucerons
Taille: même sévère en fin d'hiver
Rempotage: fréquent
Style: droit informel, à troncs multiples enroulés
Type de terreau: universel, calcaire

Comme on peut le remarquer, ce grenadier a été obtenu en tordant deux troncs qui ont fusionné quelques années plus tard. L'arbre a probablement été mis en forme en 1973. Ses dimensions ne sont pas remarquables, mais il possède un feuillage et un tronc élégants.

La floraison annuelle confère une note de couleur à l'ensemble.

Bien que sa teinte ne soit pas satisfaisante, la coupe ronde est adaptée au tronc par sa forme et ses dimensions. On peut regarder l'arbre sous tous les angles et admirer l'éclosion des fleurs.

Pour obtenir une riche floraison, l'arbre ne doit pas être taillé pendant la période végétative, car les boutons se forment sur l'apex des jeunes rameaux. La plante accessoire de ce bonsaï avec ses fleurs blanches clairsemées, est très délicate, comme les pétales des fleurs du grenadier.

Hêtre
(Fagus crenata)
Hauteur: 45 centimètres
Coupe ovale bleu mat

Arbre: dans la nature, il atteint 30 mètres
Fleurs: mâles et femelles à l'extrémité des pousses
Feuilles: ovales et dentées, avec 5 à 9 couples de nervures
Fruits: de forme pyramidale, appelés faines
Multiplication: par semis

Hauteur bonsaï: à partir de 30 centimètres
Arrosage: tous les jours pendant la période végétative
Exposition: ensoleillée
Structuration: au printemps
Maladies: cochenilles, pucerons
Taille: au printemps avant l'éclosion des bourgeons
Rempotage: fréquent pour les arbres jeunes
Style: droit formel, informel, arbres de groupe
Type de terreau: neutre-acide

Ce hêtre est bien ramifié; les feuilles laissent entrevoir un tronc conique, la bifurcation des branches et la structure du feuillage. Le plus grand tronc a un port droit, le plus petit se penche vers la lumière. Les deux troncs possèdent un seul pied et forment un seul feuillage.
La coupe peu profonde donne de l'élan et sa teinte foncée confère de la stabilité. La mousse, bien distribuée, crée un milieu frais et tranquille.

Hêtre
(Fagus crenata)
Hauteur: 45 centimètres
Coupe ovale beige
Plante accessoire: myrtille
(Vaccinium vitis-idaea)

L'arbre a été acheté en pépinière en 1982. La mise en forme pour en faire un bonsaï avait déjà commencé. La plante présentait cependant un pied peu intéressant en raison de la présence d'un gros pivot. Le corsetage de la racine avec un fil de cuivre a permis aux racines capillaires situées en amont de grossir et d'améliorer l'aspect de la base. Le feuillage, très riche en été, est équilibré grâce à une végétation plus importante au sommet. Les feuilles n'ont pas encore été miniaturisées pour permettre au tronc de se développer davantage. La transplantation dans ce pot pour bonsaï a eu lieu en 1984. Bien que la couleur beige (choisie pour ne pas créer de contrastes avec la couleur du feuillage changeant beaucoup au cours de l'année) ne fasse pas ressortir l'écorce gris-bleu, surtout en hiver, elle constitue un cadre parfait pour l'automne, lorsqu'il reste encore sur les branches des feuilles fanées marron. La myrtille rappelle les lieux où croissent les hêtres.

Hêtre

(Fagus sylvatica)
Hauteur: 50 centimètres
Coupe ovale évasée bleue

Ce bosquet a été structuré en automne 1984, à partir de seize plants. Les deux plus gros ont été cultivés séparément et empotés en 1974: un autre arbre est né par semis en 1978; les autres sont nés en 1980. L'idée d'origine était de rapprocher le plus possible les deux grosses plantes et de créer un point focal intéressant.

L'ensemble terre-racines ne l'a pas permis. On a alors pensé à rapprocher de l'une des plantes celle née en 1978, en créant ainsi deux points intéressants: l'un avec deux troncs et l'autre avec un seul. Les autres plantes ont été disposées de manière que tous les troncs soient visibles tout en gardant une harmonie naturelle. Les feuilles sont encore laissées grosses pour la vigueur des jeunes plantes. Toutefois, l'ensemble promet de bons résultats.

Arbre: dans la nature, il atteint 30 mètres
Fleurs: mâles et femelles à l'extrémité des pousses
Feuilles: ovales et dentées, avec 5 à 9 couples de nervures
Fruits: de forme pyramidale, appelés faines
Multiplication: par semis

Hauteur bonsaï: à partir de 30 centimètres
Arrosage: tous les jours pendant la période végétative
Esposition: plein soleil
Structuration: au printemps
Maladies: cochenilles, pucerons
Taille: au printemps avant l'éclosion des bourgeons
Rempotage: fréquent pour les arbres jeunes
Style: droit formel, informel, arbres de groupe.
Type de terreau: neutre-acide

Lantanier
(Lantana camara)
Hauteur: 40 centimètres
Coupe ronde bleue

Arbre: dans la nature, il atteint 3 mètres
Fleurs: capitules de couleurs différentes
Feuilles: opposées, ovales, rugueuses
Fruits: drupes, charnues ou sèches
Multiplication: par semis et bouturage

Hauteur bonsaï: 20 à 25 centimètres
Arrosage: abondant, tous les jours
Exposition: ensoleillée
Structuration: par la taille avant la période végétative
Maladies: cochenilles
Taille: avant la période végétative
Rempotage: fréquent (annuel)
Style: droit informel, semi-cascade, cascade
Type de terreau: universel et calcaire

Bien que cela ne soit pas visible sur cette photographie à aucun moment les branches de ce magnifique bonsaï en fleur ne se croisent. Il a été élevé, sous le climat de Turin, grâce à un travail patient à partir d'un plant acheté au marché.
Il s'agit d'une semi-cascade/cascade à double tronc. Lorsque l'on a rempoté la plante on ne s'est pas fixé de style précis. On a choisi un style intermédiaire. La plante a une très riche floraison. Pendant l'hiver, elle repose comme le géranium.
Avec un climat plus doux, il serait possible, d'obtenir avec cette essence de très beaux spécimens, en mettant en valeur ses corymbes multicolores. Le bleu brillant de la coupe rajoute une note de couleur et fait ressortir les fleurs jaune rosé.
La forme élégante du récipient rappelle celle des petites fleurs de l'inflorescence et celle du tronc sinueux sans alourdir l'ensemble.

Magnolia
(Magnolia stellata)
Hauteur: 35 centimètres
Coupe bleue
Plante accessoire: myrtille
(Vaccinium vitis-idaea)

Arbre: dans la nature, il peut atteindre 6 mètres
Fleurs: grandes feuilles blanc rosé avec des pétales très séparés
Feuilles: ovales, caduques, vert pâle
Multiplication: par bouturage, greffage et marcottage

Hauteur bonsaï: à partir de 20 centimètres
Arrosage: tous les jours pendant la période végétative
Exposition: mi-ombre
Structuration: par la taille
Maladies: acariens, pucerons
Taille: fin de l'hiver, août
Rempotage: fréquent
Style: droit informel, semicascade, cascade, plusieurs arbres sur une même souche
Type de terreau: universel

La riche floraison de cette plante m'a donné l'idée d'essayer une multiplication par bouturage en 1978. L'enracinement a été lent et, pendant les premières années, la petite plante poussait peu. Au printemps, elle produisait toujours une ou deux fleurs. Elle est maintenant vigoureuse et la floraison printanière abondante est toujours suivie, en août, moment auquel elle a été photographiée, de quelques fleurs. On peut en voir une épanouie ici et d'autres, encore couvertes de sépales, mais déjà visibles.
Le sous-bois, formé par de la menthe naine très parfumée, se révèle intéressant. La coupe bleu foncé crée un bon contraste avec la teinte rosée du feuillage en fleur et la plante qui accompagne l'ensemble rappelle par la couleur de ses fleurs celle des pétales du magnolia.

Mélèze
(Larix decidua)
Hauteur: 55 centimètres
Coupe grise
Plante accessoire: silène
(Silene acaulis) et fougère

Arbre: dans la nature, il atteint 30 mètres
Fleurs: inflorescences mâles et femelles
Feuilles: aiguilles caduques, jaune doré en automne
Multiplication: par semis

Hauteur bonsaï: à partir de 40 centimètres
Arrosage: non abondant, mais régulier
Exposition: plein soleil au printemps, au nord en juillet-août
Structuration: au printemps ou en fin d'été
Maladies: pucerons lanigères, araignées rouges
Taille: en hiver ou en fin d'été
Rempotage: peu fréquent
Style: droit informel, tourmenté par le vent, semi-cascade, cascade
Type de terreau: plutôt acide ou universel

Cette plante, récoltée dans la nature en 1980, a subi très peu d'interventions. Entre les branches bien structurées qui forment un feuillage triangulaire naturel, on peut admirer la ligne souple du tronc pyramidal. La cime est perpendiculaire à la base du pied, comme l'exigent les règles techniques. Exposé en 1982, cet arbre a été très apprécié.
La coupe grise entoure comme un rocher la terre dans laquelle pousse l'arbre et les plantes qui l'accompagnent.

Mélèze
(Larix decidua)
Hauteur: 75 centimètres
Coupe ovale non émaillée

Ce mélèze a été récolté dans la nature pendant l'été 1984. Le tronc est conique et tordu, la ramification est bien répartie et les aiguilles sont déjà miniaturisées.

La nature a miniaturisé cet arbre qui poussait dans une poignée de terre compacte et tourbeuse à environ 2 600 mètres d'altitude.

Il n'a pas eu besoin de grandes interventions. Quelques branches seulement ont été structurées. Le sommet n'a pas été touché, même si sur la photographie il semble déplacé par rapport au pied. La coupe ovale non émaillée est une base solide adaptée à l'élégance puissante de l'arbre.

Ulmus campestris
Hauteur 40 cm. Coupe ovale bleue (photographie de Isacco Formentini)

Acer campestre *(bosquet)*
Hauteur 40 cm. Coupe ovale non émaillée
(photographie de Isacco Formentini)

Alnus glutinosa
Hauteur 70 cm. Coupe rectangulaire bleue
(photographie de Isacco Formentini)

Mélèze
(Larix decidua)
Hauteur: 85 centimètres
Coupe ovale non émaillée

Cet arbre a été récolté dans la nature il y a de nombreuses années, vers 1970. La structuration a été lente et progressive. La conicité du tronc, améliorée petit à petit, est exceptionnelle ainsi que la triangularité du feuillage. Quelques liens métalliques sont encore présents pour maîtriser, sans provoquer de choc pour la plante, les branches qui ne veulent pas suivre le schéma prévu. La branche basse de droite a moins de feuilles en raison d'une soudaine "sécheresse" qui s'est produite peu de temps avant la photo; maintenant l'arbre s'est rétabli. La plante a été gardée pendant un certain nombre d'années dans une coupe rectangulaire qui exaltait sa vigueur. Dans cette coupe ovale, l'arbre paraît moins imposant, mais sa ligne est belle et forte. Quelques pissenlits (**Hypochoeris uniflora**) poussent à la base de l'arbre et l'encadrent comme l'herbe sur une vire.

Mûrier

(Morus nigra)
Hauteur 30 centimètres
Coupe ovale verte
Plante accessoire: érable
(Acer platanoides)

Arbre: dans la nature, il peut atteindre 9 à 10 mètres
Fleurs: inflorescences mâles et femelles
Feuilles: irrégulièrement lobées, en forme de cœur
Fruits: mûres
Multiplication: par semis et bouturage

Hauteur bonsaï: à partir de 15 centimètres
Arrosage: tous les jours pendant la période végétative
Exposition: mi-ombre
Structuration: uniquement par la taille
Maladies: cochenilles, oïdium, pucerons
Taille: structurelle au printemps, d'entretien ensuite
Rempotage: assez fréquent
Style: droit informel, à balai
Type de terreau: universel

Cette plante est très intéressante: les feuilles ont pu être miniaturisées et les fruits sont abondants tous les ans. Elle a été réalisée en écimant pendant plusieurs années de suite une bouture de 1970, placée dans un gros récipient, et qui promettait de bien pousser. À chaque taille, on ne laissait qu'une seule pousse. On a ainsi obtenu un tronc conique tourmenté et caractéristique, avec de grosses cicatrices déjà couvertes par le cal. En 1978, on a commencé à soigner le feuillage. On a dirigé les branches et on a limité la prédominance de la cime.
La coupe ovale verte rend l'ensemble homogène et ne l'alourdit pas.
La plante qui l'accompagne est un **Acer platanoides** né en 1981 sur un mur de clôture et placé dans le récipient où il se trouve encore actuellement. L'élégante sinuosité de l'érable équilibre l'aspect massif du mûrier.

Murraya
(Murraya exotica)
Hauteur: 45 centimètres
Coupe chinoise
Plante accessoire: saxifrage
(Saxifraga cuneifolia)

Arbre: dans la nature, il atteint une hauteur maximale de 5 mètres
Fleurs: semblables à celles des orangers
Feuilles: persistantes, alternes, impaires, pennées
Multiplication: par bouturage

Hauteur bonsaï: à partir de 40 centimètres
Arrosage: tous les jours pendant la période végétative, et en hiver si la plante est gardée en appartement
Exposition: plein soleil
Structuration: la taille est préférable au corsetage
Maladies: chlorose (manque de fer)
Taille: en période de repos
Rempotage: pas trop fréquent
Style: droit informel, penché
Type de terreau: acide (la terre de bruyère est très bonne).

Cette plante est entrée dans ma collection en 1985 et provient du Centre de Bonsaïs de Heidelberg. L'origine de la plante est chinoise, mais la formation du feuillage a été faite selon les techniques japonaises. Un tronc splendide et tourmenté soutient un feuillage triangulaire équilibré. Le pied, très personnel, et la coupe ancienne confèrent à l'arbre de la stabilité. La teinte verte épouse celle du feuillage et n'alourdit pas l'ensemble.

Ce bonsaï est accompagné d'une saxifrage qui crée, au printemps, un nuage blanc de fleurs sur une base compacte de rosettes. La saxifrage aime l'ombre et la fraîcheur, c'est pour cette raison qu'elle est protégée par le feuillage de l'arbre.

Orme

(Ulmus campestris)
Hauteur: 40 centimètres
Coupe ovale beige
Plante accessoire: *Iris
germanica*

Arbre: dans la nature, il atteint 30 mètres
Fleurs: apparaissent avant les feuilles
Feuilles: dimensions variables, ovales, de couleur vive
Fruits: de forme aplatie contenant une graine vers le sommet
Multiplication: par semis, bouturage et marcottage

Hauteur bonsaï: à partir de 10 centimètres
Arrosage: abondant tous les jours
Exposition: mi-ombrageuse ou ensoleillée
Structuration: au printemps avant l'épanouissement des bourgeons.
Maladies: virose, pucerons, araignées rouges
Taille: de préférence au printemps
Rempotage: fréquent
Style: droit informe, de groupe
Type de terreau: universel

Cet orme, dont le pied était intéressant, a été écimé par une coupe en biseau en 1974. De nombreux bourgeons se sont développés sur la coupe et sur le tronc. Pour créer la charpente des branches, on a choisi le bourgeon terminal situé sur le bord supérieur de la coupe et trois autres bourgeons du tronc à distance égale. En 1978, la cime a été coupée par la même technique. Aujourd'hui, les grosses plaies se sont cicatrisées en donnant au tronc un aspect conique et sinueux. L'épaisse ramification couverte de petites feuilles laisse entrevoir le tronc de l'arbre.

Son écorce turgescente gris cendré exprime la force de cet arbre. L'**iris germanica**, aux feuilles lancéolées, met en valeur l'idée de vigueur et crée un élégant équilibre.

Orme

(Ulmus campestris)
Hauteur: 40 centimètres

Les sept plantes de ce petit bois proviennent de deux groupes de boutures de 1973 gardées dans un pot de culture pendant quelques années. Un groupe était composé de trois boutures, l'autre de quatre. Les plants avaient une base particulière. Les racines superficielles s'étaient, en effet, soudées en créant quelque chose de très original qu'il fallait mettre le plus possible en valeur. En 1981, il fut décidé de les mettre sur dalle et de créer un petit bois. Les pieds des arbres auraient ainsi pu être mis en évidence. Les trois plantes d'un groupe ont été légèrement éloignées et élevées, les troncs un peu penchés pour équilibrer l'ensemble. L'aspect du bois, avec les branches agitées par une petite brise, est splendide au printemps, lorsque les bourgeons s'épanouissent, ou en automne, lorsque l'on voit encore sur les branches quelques feuilles jaunes sur une ramification épaisse mais élégante, obtenue sans taille. Le sous-bois de saxifrages (**saxifraga cuneifolia**) et de sédums (**sedum album**) ainsi que la double dalle dans la partie centrale allègent la base en la rendant assez naturelle.

Orme
(Ulmus campestris)
Hauteur: 40 centimètres
Coupe ovale bleue

Cet arbre a été obtenu par bouturage en 1966. Les soins pour en faire un bonsaï ont commencé immédiatement. Ainsi, les interventions étalées dans le temps ne sont absolument pas visibles. On ne peut pas voir de traces d'écimages, ni de coupes, ni de lien de corsetage. La ramification bien répartie fait abstraction des règles strictes imposées par l'homme et s'intègre dans le dessin de la nature en créant un arbre très équilibré. Le tronc tordu et conique peut être vu entre le feuillage jusqu'au sommet. Les feuilles sont saines et miniaturisées. Les racines visibles ont donné naissance à quelques petites plantes qui exaltent l'importance de l'arbre "mère" et semblent protégées par son feuillage. Le sous-bois est soigné. La forme de la coupe est appropriée; sa couleur pourrait toutefois être plus claire, beige ou verte.

Orme
(Ulmus campestris)
Hauteur: 70 centimètres

Vingt-neuf arbres à feuillage caduc, obtenus par bouturage, composent cette forêt sur dalle de pierre. La réalisation de l'ensemble a été exécutée en deux temps. En 1974, les boutures ont été plantées en caissette. En 1976, onze plantes ont été sélectionnées pour leurs dimensions et leur forme afin de créer un bois sur dalle. En 1978, après avoir examiné un bois clairsemé d'ormes, sur la revue **Bonsaï** en Californie, très intéressant malgré l'impression de lourdeur donnée par la motte et la dalle, dix-huit autres plantes ont été rajoutées pour créer une forêt épaisse. Le tout a été placé sur une dalle plus grande, en essayant d'alléger la base le plus possible. Il s'agissait, en effet, d'une forêt d'arbres à feuillage caduc et aux troncs assez minces.

Le feuillage luxurieux ne permet pas d'admirer l'arbre à son meilleur moment: au printemps, lorsque les bourgeons s'épanouissent, et en automne, lorsque les branches ne sont plus couvertes que de quelques feuilles clairsemées.

Pin

(Pinus thumbergii va-
riété corticata)

Hauteur: 35 centimètres
Coupe ovale non émaillée
Plante accessoire: thym
(Thymus vulgaris)

Arbre: dans la nature, il peut atteindre 30 mètres
Fleurs: mâles et femelles rouges
Feuilles: aiguilles épaisses, pointues, groupées par deux
Multiplication: par semis et greffage

Hauteur bonsaï: à partir de 20 centimètres
Arrosage: régulier
Exposition: ensoleillée
Structuration: en fin d'été
Maladies: cochenilles, araignées rouges
Taille: fin d'été pour les branches, pincement des pousses en mai
Rempotage: pas trop fréquent
Style: droit formel, informel, semi-cascade, cascade
Type de terreau: universel

Ce bonsaï a été importé du Japon en 1984. Même s'il n'est pas encore âgé, il s'agit d'un spécimen remarquablement beau, notamment par son très gros pied.

Ce type de plante est généralement greffé sur un porte-greffe qui a une écorce moins crevassée et qui semble donc avoir un tronc de plus petit diamètre. Pour faire face à cet inconvénient, on la greffe le plus près possible du collet, comme dans le cas de ce spécimen.

Les gros et vieux spécimens ont rarement un pied proportionné au reste du tronc rugueux. En général, le pied est plus petit. Le feuillage est dense et fort et pour l'instant l'on ne prévoit pas d'intervention pour l'épaissir.

L'herbe qui l'accompagne est du thym avec un tronc intéressant et original, un feuillage très léger et délicat par contraste avec celui du pin.

Pin noir

(Pinus nigra)

Hauteur: 60 centimètres
Coupe rectangulaire
Plante accessoire: fétuque
(Festuca ovina)

Arbre: dans la nature, il atteint 30 mètres
Fleurs: inflorescences mâles jaunes, et femelles rouges
Feuilles: aiguilles aplaties, filiformes, en touffes épaisses bisannuelles
Multiplication: par semis

Hauteur bonsaï: à partir de 40 centimètres
Arrosage: modéré, mais régulier
Exposition: ensoleillée
Structuration: en fin d'été
Maladies: cochenilles, araignées rouges
Taille: en fin d'été
Rempotage: pas trop fréquent
Style: droit formel, informel, semi-cascade
Type de terreau: tout type de compost

Ce pin noir a été obtenu par semis en 1964. Il a toujours été rempoté et les soins consacrés notamment au feuillage concernent maintenant le grossissement du tronc et son plissement. La même année, trois pins noirs sont nés. Le spécimen de la photographie a été élevé selon le style droit informel, un autre a été structuré en cascade et ensuite modifié, le troisième en une semi-cascade. La ramification dense, les aiguilles brunes, longues et rigides, mettent en valeur la vitalité et la force de cette plante à l'imposant feuillage triangulaire. Le pied de l'arbre est intéressant. En automne, le sous-bois se couvre de nombreux champignons.

La coupe bleu foncé donne de la stabilité et sa forme rectangulaire fait ressortir, avec ses angles, la rigidité des aiguilles. L'herbe accessoire est une fétuque dans une coupe bleue. La fétuque, rustique et forte, accompagne toujours les conifères sur les rochers et sur les vires et comme ces derniers elle ne nécessite pas d'un terrain particulièrement riche en humus.

Pin à cinq feuilles
(Pinus pentaphilla)

Hauteur: 40 centimètres
Coupe rectangulaire bleu
foncé
Plante accessoire: *(Calamintha alpina)* dans une coupe
ovale

Arbre: originaire du Japon, il
peut atteindre 25 mètres
Fleurs: mâles et femelles groupées en épi
Feuilles: à 5 aiguilles
Multiplication: par semis et
greffage

Hauteur bonsaï: à partir de 10
centimètres
Arrosage: tous les jours en
plein été
Exposition: plein soleil
Structuration: fin août
Maladies: cochenilles, araignées rouges
Taille: fin août, pincement
printanier des pousses
Rempotage: peu fréquent
Style: droit formel, informel,
semi-cascade, cascade, tourmenté par le vent
Type de terreau: neutre-acide

Cet arbre a été acheté en juillet 1984 à Omja de Kato et élagué
dans la partie basse.
La variété des aiguilles, très petites et d'une belle couleur
verte, est très intéressante. Les aiguilles sont greffées sur un
sauvageon à écorce rugueuse qui donne à l'arbre un aspect
ancien. Le point de greffage, peu visible, contribue à rendre
le tronc pyramidal.
La coupe rectangulaire bleue crée un beau contraste avec la
couleur du feuillage, mais le rend moins remarquable. Une
coupe ovale non émaillée suivrait la ligne souple du feuillage
et mettrait l'ensemble en valeur. L'herbe en fleur recrée l'habitat caractéristique des conifères.

Pin à cinq feuilles
(Pinus pentaphilla)
Hauteur: 50 centimètres
Coupe rectangulaire grise non
émaillée
Plante accessoire: cinéraire
(Senecio incanus)

Cet arbre obtenu par semis a été importé d'Allemagne en 1983 et provient du Japon. Il est encore dans son récipient d'origine, mais une coupe ovale s'adapterait également bien. Le point focal de l'arbre est constitué par les **jin** et le **shari** qui ont demandé beaucoup de soins et de connaissances techniques. Le travail consiste maintenant à fortifier et serrer les branches qui promettent déjà de bons résultats. La base solide et le tronc pyramidal sillonné par une grande cicatrice sont remarquables. Les aiguilles du pin greffé sont délicates, moins claires, moins fortes et compactes, mais intéressantes. L'herbe est une cinéraire des Alpes qui, comme le pin, est très rustique et qui, supportant bien le froid et la sécheresse, peut être considérée comme une compagne idéale des conifères.

Pin à cinq feuilles

(Pinus pentaphilla)
Hauteur: 50 centimètres
Coupe bleue
Plante accessoire: fougère

Cet arbre a été acheté au Japon à Kawaguci en juillet 1984. Il était rempoté dans un récipient marron rectangulaire. Il est arrivé en Italie le 29 juillet, les racines à découvert, et a été planté dans le premier pot libre disponible qui n'est pas adapté à la plante. L'élégance de l'arbre doit être mise en valeur par une coupe ronde légèrement bombée et non émaillée, mais ce grand récipient a permis une bonne croissance. Les branches, surtout les plus basses, sont très riches en aiguilles et on a pu régénérer l'apex, en accentuant ainsi l'aspect triangulaire du feuillage.

Au printemps 1986, le pin a produit des inflorescences mâles et femelles. Toutefois, ces dernières n'ont pas mûri malgré les soins et la pollinisation artificielle. La teinte claire des aiguilles, le pied et le tronc sont très intéressants. La simple fougère qui pousse sur les murs secs accompagne dignement cet arbre résistant.

Pommier

(Malus communis)

Hauteur: 90 centimètres
Coupe ovale non émaillée

Arbre: dans la nature, il atteint 6 à 9 mètres
Fleurs: groupes de 4 à 6 grandes fleurs à 5 pétales jaunes
Feuilles: pétiolées et dentées, pas trop grandes
Fruits: pommes
Multiplication: par semis, bouturage, marcottage et greffage

Hauteur bonsaï: à partir de 10 centimètres
Arrosage: tous les jours pour les arbres jeunes
Exposition: mi-ombre
Structuration: en hiver par la taille
Maladies: cochenilles, oïdium, araignées rouges, pucerons
Taille: structurelle en hiver et d'entretien en août
Rempotage: fréquent pour les arbres jeunes
Style: droit formel, droit informel, de groupe
Type de terreau: universel

Beau spécimen. Le tronc est droit avec des signes évidents de cicatrices dues aux tailles. Les branches sont nombreuses. Il fait partie de ma collection depuis 1983. Son parfait état de santé lui permet une floraison et une fructification annuelles, comme on peut le voir sur la photographie. La coupe ovale grise non émaillée accroît l'impression de force que l'arbre exprime majestueux et régulier, le tronc juste au milieu du pot.

Pommier
(Malus sieboldii)
Hauteur: 60 centimètres
Coupe vert aigue-marine

Arbre: dans la nature, il atteint 6 à 9 mètres
Fleurs: groupes de 4 à 6 grandes fleurs à 5 pétales jaunes
Feuilles: pétiolées et dentées, pas trop grandes
Fruits: pommes
Multiplication: par semis, bouturage, marcottage et greffage

Hauteur bonsaï: à partir de 10 centimètres
Arrosage: tous les jours pendant la période végétative
Exposition: mi-ombre
Structuration: en hiver, par la taille
Maladies: cochenilles, oïdium, araignées rouges, pucerons
Taille: structurelle en hiver et d'entretien en août
Rempotage: fréquent pour les arbres jeunes
Style: droit formel, droit informel, de groupe
Type de terreau: universel

Ce bonsaï est très intéressant: il est formé de sept troncs sur un pied commun. Il est dans ma collection depuis l'été 1984, après avoir subi dans un magasin de nombreux traumatismes dus à des floraisons forcées et à une croissance interrompue destinées à attirer constamment l'attention du public sur le moment "magique" de la plante.
Après avoir été soigné pendant l'hiver 1984-1985, ce bonsaï a fleuri et fructifié le printemps suivant. Malheureusement, quelques branches ont séché. La structure est restée cependant intacte et à la prochaine reprise végétative, elles devraient se reformer. Ce bonsaï a un meilleur aspect en hiver, lorsque les troncs gris-bleu des arbres ne sont pas cachés par les feuilles, ou au printemps, lors de la floraison. La couleur vert aigue-marine et la forme de la coupe complètent l'originalité de ce bois de pommiers.

Prunellier

(Prunus spinosa)
Hauteur: 18 centimètres
Coupe ovale bleue

Arbrisseau: hauteur 1 à 2 mètres, très ramifié
Fleurs: blanches à 5 pétales; elles apparaissent avant les feuilles
Feuilles: simples, petites, ovales
Multiplication: par semis et bourgeonnement

Hauteur bonsaï: 15 à 30 centimètres
Arrosage: quotidien et régulier
Exposition: ensoleillée
Structuration: au printemps
Maladies: cochenilles, oïdium, pucerons
Taille: printanière et estivale
Rempotage: pas trop fréquent
Style: droit informel
Type de terreau: universel

Le plant a une histoire intéressante. En juillet 1968, suite à un très banal accident au cours d'une promenade en montagne, un petit tronc de prunellier a été déraciné. Il a été ramassé immédiatement et mis dans un sac à dos enveloppé dans du papier humide. Le soir, il a été planté dans un récipient à glace. Il a été arrosé et enveloppé dans un petit sac en matière plastique transparente. On espérait naturellement qu'il survivrait. Au début, il a perdu toutes les feuilles de son unique branche, mais ensuite il a récupéré. Pendant deux ans, il a bien vécu dans le récipient, ensuite, en 1971, il a été transféré dans un pot pour bonsaï. Il s'agissait d'une coupe ronde, de couleur verte. En 1976, le prunellier a commencé à fleurir et à fructifier. La coupe était devenue trop serrée pour la plante qui commençait à souffrir de l'humidité insuffisante. En 1978, elle a été rempotée dans le récipient où elle se trouve actuellement. La couleur bleue du récipient exalte la blanche floraison printanière et accompagne la couleur des drupes qui, tous les ans, couvrent les petites branches jusqu'à la fin de l'automne.

Pyracantha
(Crataegus pyracantha)

Hauteur: 50 centimètres
Coupe rectangulaire verte
Plante accessoire: fougère

Arbrisseau: dans la nature, il atteint 3 à 4 mètres
Fleurs: blanches à 5 pétales groupées en corymbe
Feuilles: ovales, lucides
Multiplication: par semis ou bouturage

Hauteur bonsaï: à partir de 10 centimètres
Arrosage: tous les jours
Exposition: ensoleillée
Structuration: taille et corsetage
Maladies: cochenilles, pucerons
Taille: structurelle au printemps
Rempotage: fréquent pour les plantes jeunes
Style: droit formel, informel, sur rocher, cascade
Type de terreau: même calcaire

Ce bonsaï a été obtenu à partir d'une grosse plante en mauvais état faisant partie d'une haie. C'était en 1974 et il s'agissait des premières interventions d'écimage d'un arbre déjà vieux. L'opération a été faite sans évaluer correctement les bonnes proportions entre le tronc et le feuillage et, contrairement à ce que l'on pourrait croire, en considérant la caractéristique du double tronc comme très positive. La nouvelle plante a bien réagi, en faisant repousser son feuillage, en fleurissant et en fructifiant tous les ans. La couleur de la coupe s'adapte aux tons délicats des feuilles; même la forme rectangulaire est intéressante, car elle rappelle la forme originale du tronc. La vision de l'ensemble, avec une fougère comme herbe accessoire, est remarquablement élégante.

Sageretia

(Sageretia theezans)
Hauteur: 30 centimètres
Coupe ovale verte

Arbre: dans la nature, il peut atteindre 3 mètres
Fleurs: bisexuées, solitaires
Feuilles: alternes, coriaces, ovales
Fruits: groupe de fruits qui forment une masse charnue
Multiplication: par semis et bouturage

Hauteur bonsaï: à partir de 10 centimètres
Arrosage: quotidien en été et en hiver, si la plante est gardée en appartement
Exposition: ensoleillée
Structuration: de préférence au printemps
Maladies: cochenilles, aleurodes, pucerons
Taille: à tout moment
Rempotage: assez fréquent
Style: droit informel, arbres de groupe
Type de terreau: acide

Cette plante a été obtenue par une petite bouture en 1976. C'est une essence chinoise. On peut trouver des spécimens avec un tronc beaucoup plus gros, mais ils reproduisent rarement l'harmonie et le naturel du feuillage de cette plante soignée dans tous les détails.
C'est un bonsaï qui a besoin d'être protégé du froid et qui résiste très bien à l'air sec du chauffage domestique. Il résiste mieux que le ficus. La feuille translucide, à bords plats, a une forme ovale. La ramification est mince et bien répartie.
L'élégante coupe verte est un bon cadre pour cette plante.

Sapin

(Picea abies)

Hauteur: 45 centimètres
Coupe chinoise émaillée

Arbre: dans la nature, il peut atteindre 35 mètres
Fleurs: mâles et femelles
Feuilles: aiguilles dures et pointues
Multiplication: par semis

Hauteur bonsaï: à partir de 20 centimètres
Arrosage: tous les jours en été
Exposition: ensoleillée
Structuration: fin août
Maladies: cochenilles, araignées rouges
Taille: fin d'été
Rempotage: peu fréquent
Style: droit formel
Type de terreau: tout type de compost

Ce sapin a été acheté en juillet 1976 dans une pépinière.
C'était une plante de rebut qui faisait partie d'un lot de sapins pour Noël de l'année précédente, et qui avait survécu aux traumatismes après avoir perdu quelques branches, presque toutes disposées d'un seul côté. Étant donné la résistance et l'aspect de la plante, on a pensé en faire une cascade. D'autres branches ont été taillées et, au cours de l'été 1977, la plante a été mise en forme.
La rigidité du tronc n'a pas permis de donner au tronc un aspect sinueux, alors que les branches du bas, plus petites, se sont mieux prêtées à la structuration.
La triangularité du feuillage et la conicité du tronc ont exigé des interventions techniques avec des résultats à longue échéance. Maintenant on en voit les fruits. Les branches terminales, plus jeunes et plus petites, nécessitent encore d'être épaissies et mises en forme. Toutefois, le plus gros du travail a été fait; le positionnement du tronc et des grosses branches est stable.
Les soins de perfectionnement seront encore longs.
La coupe chinoise émaillée qui s'adapte difficilement aux conifères, dans ce cas placée avec l'arête vers l'observateur, s'harmonise de manière idéale et donne à l'ensemble stabilité et élégance.

Sapin

(Picea abies)

Hauteur: 60 centimètres
Coupe ovale non émaillée

Ces deux arbres "père et fils" ont une longue histoire. Le plus haut a été récolté dans un bois de plantes à feuilles caduques en 1966. Par sa forme particulière, avec son feuillage bas et très allongé il a été utilisé pendant plusieurs années comme sapin de Noël. En 1972, de nombreuses branches se sont fanées et il a donc été transformé en bonsaï. Quelques autres branches ont été coupées, en créant des **jin**. Le feuillage était cependant trop éloigné du tronc et il fallait le rendre plus compact. Dans un premier temps, on a seulement taillé les extrémités les plus longues des branches, en régénérant la cime plusieurs fois. L'arbre a été ensuite placé dans une coupe basse pour lui donner plus d'élan. Le tronc se plissait et, en 1978, l'arbre avait déjà un feuillage acceptable.

On a alors pensé à mettre à côté du long tronc dépouillé un autre petit sapin. Le petit sapin, soumis à des torsions et à des tailles, avait déjà acquis, en 1981, l'aspect tordu du père. Lors d'une exposition, l'ensemble fut apprécié.

Au cours de l'été 1985, l'arbre "père" a subi d'autres interventions avec des tailles sévères sur les nouveaux **jin** et sur le feuillage; la plante a été positionnée, le feuillage a été réduit et rendu plus conique et surtout proportionné. Maintenant l'arbre paraît un peu dépouillé, mais dans quelques années, il aura l'air plus ancien et naturel.

Sapin
(Picea abies)
Hauteur: 80 centimètres
Coupe ovale non émaillée

L'arbre a été récolté dans la nature en 1980. En 1982, il a changé de propriétaire et ont commencé les premières interventions de taille et de rempotage. En 1984, il est entré dans ma collection. Le type de structuration frontale choisi n'apparaissait pas convaincant, car il ne mettait pas en évidence l'élégance sinueuse du tronc. Le changement de la partie frontale exigeait de nouvelles tailles de branches que l'on a préféré transformer en **jin** plutôt que de les supprimer complètement. Maintenant, il faudra tourner la plante dans la coupe qui, comme on le voit, se présente du côté le plus étroit.

Un petit sapin est né ct fait ressortir, avec sa forme simple, l'âge de la plante qui le protège de son feuillage.

Viorne boule de neige

(Viburnum opulus)
Hauteur: 55 centimètres
Coupe ovale bleue

Arbuste: dans la nature, il atteint 5 mètres
Fleurs: réunies en inflorescence arrondie très blanche
Feuilles: opposées, à 3 ou 5 lobes pointus, incisés et dentés
Fruits: baies rouges vénéneuses
Multiplication: par semis, bouturage et marcottage

Hauteur bonsaï: à partir de 30 centimètres
Arrosage: régulier pendant la saison végétative
Exposition: mi-ombre
Structuration: en fin d'hiver
Maladies: cochenilles, oïdium, pucerons
Taille: en fin d'hiver
Rempotage: peu fréquent
Style: droit informel, plusieurs arbres sur une seule souche
Type de terreau: universel

Cette plante a été obtenue par marcottage en 1971.
Plusieurs troncs s'élèvent à partir d'une unique racine et forment un seul feuillage qui, en automne, acquiert de splendides nuances jaune-rouge. La ramification est très épaisse et bien répartie. Les feuilles sont proportionnées. La plante n'a pas encore fleuri, mais les deux moments magiques de ce bonsaï sont peut-être l'automne et l'hiver. En effet, lorsque l'arbre est dépouillé, on peut admirer les gros bourgeons terminaux rouge-brun sur les troncs gris.
La coupe bleue confère un aspect plus solide et met en valeur la plante dans ses meilleurs moments.

Les mini-bonsaïs

Les photographies suivantes montrent quelques mini-bonsaïs et mame-bonsaïs structurés depuis déjà de nombreuses années.

Chaque plante présente une fiche qui indique les interventions faites. Il est plus difficile d'obtenir un beau spécimen petit qu'un spécimen de 35 à 40 centimètres; de petits dégâts ou une croissance irrégulière risquent, en effet, de l'endommager irrémédiablement. La miniaturisation des feuilles est, en outre, indispensable. On utilise souvent comme récipient pour les mini-bonsaïs ou les mame-bonsaïs, de petits pots, très beaux et très coûteux, parfois signés.

On ne fait pas cela pour distraire l'attention du spectateur, mais au contraire pour souligner la valeur de la plante et sa ligne naturelle obtenue après des années de travail constant. En règle générale, dans un petit bonsaï, on essaye d'exalter au maximum le point focal, en adaptant à celui-ci les autres caractéristiques. Une partie des spécimens présentés ici se trouve dans des pots du commerce, même si certains mériteraient un meilleur cadre.

Azalée

(Rhododendron sppl)
Hauteur: 11 centimètres
Coupe ovale bleue sans bords

Très beau spécimen aux feuilles minuscules. Le feuillage est triangulaire. Le tronc est formé de racines qui se sont soudées.

Cotoneaster

(Cotoneaster orizzontalis)
Hauteur: 6 centimètres
Coupe bleue émaillée

Le tronc délicat et sinueux soutient un feuillage mis en forme à l'horizontale. Au printemps, il se couvre de petites fleurs blanches suivies par des fruits rouges.

Érable
(Acer buergerianum)
Hauteur: 13 centimètres
Coupe ronde

C'est un mini-bonsaï sur rocher. La coupe n'est pas appropriée. Il serait préférable d'utiliser une coupe ovale peu profonde et de couleur claire.

Genévrier
(Juniperus pungens)
Hauteur: 9 centimètres
Coupe ronde non émaillée

Ce bonsaï se rattache au style droit informel avec un feuillage réduit et bien soigné. Le pincement des pousses se fait pendant toute l'année.

Genévrier
(Juniperus pungens)
Hauteur: 10 centimètres
Récipient évasé non émaillé

Le tronc, avec un shari qui le parcourt jusqu'au pied, est très intéressant. Le feuillage est compact et pas excessivement soigné pour mieux valoriser le tronc.

Genévrier
(Juniperus pungens)
Hauteur: 12 centimètres
Coupe ronde bombée non émaillée

Le feuillage est en deux parties séparées par un **jin**. L'arbre produit en automne des baies bleues.

Orme

(Zelkova carpinifolia)
Hauteur: 10 centimètres
Coupe jaune vernissée

Ce spécimen est remarquable par sa forme, la robustesse de son tronc, et la miniaturisation de ses feuilles. Un agrandissement ou un rapetissement n'altérerait pas l'équilibre ni l'aspect naturel de la plante.

Sapin

(Picea abies)
Hauteur: 7 centimètres
Coupe ovale non émaillée

Cet arbre de style droit informel a un feuillage triangulaire. Les fils qui donnent aux branches leur orientation sont encore visibles. Les aiguilles sont suffisamment miniaturisées.

Glossaire

Apex. Partie terminale d'une branche ou d'une racine.

Arbre structuré. Bonsaï dont la forme correspond déjà au dessin établi à l'avance.

Atrophier. Provoquer une diminution de volume par une alimentation insuffisante. L'atrophie conduit à la mort de la plante.

Bois. Tissu végétal, à l'intérieur du tronc, constitué de vaisseaux qui transportent la sève brute des racines aux feuilles.

Cambium. Ensemble de couches de cellules indifférenciées qui séparent le bois du liber.

Capillaires. Partie terminale, très mince, des racines munies de poils ayant pour fonction d'absorber les substances nutritives.

Collet. Point de séparation entre la tige et les racines d'une plante. Terme utilisé pour les jeunes plantes.

Corsetage. Opération qui consiste à enrouler en spirale un lien métallique de manière à freiner l'écoulement de la sève descendante. (On dit également **ligaturage**).

Cotylédons. Sacs de substances nutritives situés dans la graine.

Coupe. On emploie ce terme pour parler du pot où le bonsaï est planté.

Dureté de l'eau. Elle est déterminée par la quantité de carbonate de calcium contenue dans un litre d'eau.

Écimage. Élimination de la partie supérieure de l'arbre, indispensable pour lui donner une hauteur déterminée.

Effet brique. Durcissement du sol dû à une altération du pH qui fait s'agglomérer certains sels minéraux et les rend insolubles.

Élever. Diriger la croissance de la plante dans une direction spécifique.

Ensoleillé. Signifie que les plantes doivent être exposées au soleil seulement pendant les premières heures de la journée.

Feuillage équilibré. Feuillage également distribué avec des branches aux dimensions proportionnées.

Gangue de fer. Résidu sablonneux des mines de fer.

Gourmand. Pousse, située généralement sur la base, très vigoureuse.

Humus. Engrais naturel obtenu par la transformation de substances organiques.

Incisions du fil. Cicatrices qui marquent l'écorce et qui sont dues au lien métallique utilisé pour élever les branches, et enlevé trop tard.

Jin. Branche ou apex mort, dépourvu d'écorce, au bois blanchi par les agents atmosphériques.

Lauze. Dalle de pierre très mince aux bords taillés.

Limbe. Partie large et aplatie de la feuille, sans pétiole, parcourue par des nervures.

Literati. Style de bonsaï correspondant à une période culturelle spécifique (XIXe siècle environ) où tout se limite à l'essentiel. Le tronc est généralement élancé avec certains points focaux déterminés par des torsions et des **jin**. Les branches et le feuillage sont réduits au minimum.

Mame-bonsaï. Très petit bonsaï qui ne dépasse pas 10 centimètres.

Mini-bonsaï. Très petit bonsaï de 10 à 15 centimètres de hauteur.

Mi-ombre. Le soleil ne doit pas atteindre les feuilles directement pendant les heures les plus chaudes de la journée. L'emplacement idéal est à l'ombre d'une plante plus grande.

Oligo-éléments. Éléments chimiques contenus dans le sol, souvent en quantités minimes. Leur présence est toutefois indispensable.

pH. Abréviation de "potentiel d'Hydrogène", il exprime le degré d'acidité d'un terrain, de l'eau, etc.

Pied. Base du tronc, en contact avec la surface du sol, à partir de laquelle se ramifient les racines.

Pincement. Opération qui consiste à supprimer avec les ongles des parties de racines ou de bourgeons herbacés.

Pivot. Grosse racine qui s'enfonce verticalement dans le sol et qui correspond à la prolongation de la tige.

Remplacement de l'apex. Élimination de la partie terminale du tronc à côté d'une branche maîtresse qui, élevée verticalement, régénère l'apex.

Rempotage. Remplacement partiel de la terre.

Samare. Fruit sec indéhiscent (il retient la graine) muni de prolongations membraneuses qui permettent au vent de le transporter loin de la plante mère.

Sève brute. Liquide contenant des sels minéraux qui coule à l'intérieur du tronc, allant des racines vers les feuilles.

Sève élaborée. Liquide nutritif élaboré par les feuilles grâce à la photosynthèse. Elle descend des feuilles jusqu'aux racines à travers l'écorce.

Shari. Bande d'écorce qui est retirée le long du tronc.

Stomates. Petites ouvertures sur la face interne des feuilles qui permettent les échanges gazeux avec le milieu extérieur.

Symbiose. Association durable entre végétaux ou animaux qui n'appartiennent pas à la même espèce.

Table des matières

Avant-propos .... page 7
Introduction .... » 9
LA TECHNIQUE: LES CARACTÉRISTIQUES ET LES
PROBLÈMES
Observons un bonsaï .... » 14
   Le pied .... » 15
   Le tronc .... » 21
   L'écorce .... » 22
   Les branches .... » 23
   Les feuilles .... » 26
   Le sous-bois .... » 32
   Le pot .... » 35
   Diverses indications pratiques pour
   l'achat d'un bonsaï .... » 37
Les styles .... » 40
   Le style droit formel (*chokkan*) .... » 40
   La forme en balai (*hōki-zukuai*) .... » 41
   Le style droit informel (*moyōgi*) .... » 44
   Les arbres tourmentés par les vents (*fukinagashi*) .... » 47
   La semi-cascade (*han-kengai*) .... » 48
   La cascade (*kengai*) .... » 50
   Les arbres accrochés au rocher (*ishizuke*) .... » 51
   Le tronc mort qui revit .... » 53
   Les groupes .... » 55
   Les herbes et les pierres .... » 60
Les outils et la préparation du sol .... » 63
   Les outils indispensables .... » 63
   Le terreau pour bonsaï .... » 64
   Le fumage .... » 70
Les inconvénients et les maladies des bonsaïs .... » 76
   Les cochenilles .... » 77
   Les aleurodes .... » 78
   Les pucerons .... » 79
   L'oïdium .... » 80
   Le feu bactérien .... » 81
   Les araignées rouges .... » 82
Les techniques de reproduction .... » 84
   Le semis .... » 89
   Le marcottage .... » 90
   Le bouturage .... » 92
   Le greffage .... » 95
   Le marcottage aérien .... » 99
Les bonsaïs naturels .... » 104
Les bonsaïs d'intérieur .... » 107
Le calendrier des travaux .... » 109
   Au printemps .... » 109
   En été .... » 110
   En automne .... » 110
   En hiver .... » 110

LES BONSAÏS ET LES MINI-BONSAÏS: LES ESPÈCES

Acacia (*Robinia pseudo-acacia*) .... page 114
Aulne (*Alnus glutinosa*) .... » 115
Bignone (*Bignonia capensis*) .... » 116
Bouleau (*Betula alba*) .... » 117
Cèdre (*Cedrus atlantica*) .... » 118
Charme (*Carpinus laxiflora*) .... » 119
Châtaignier (*Castanea sativa*) .... » 120
Chêne (*Quercus robur*) .... » 121
Criptomeria (*Criptomeria japonica*) .... » 122
Cyprès chauve (*Taxodium disticum*) .... » 123
Érable (*Acer buergerianum*) .... » 124
Érable (*Acer buergerianum*) .... » 125
Érable (*Acer campestre*) hauteur 35 cm .... » 126
Érable (*Acer campestre*) hauteur 40 cm .... » 127
Érable (*Acer campestre*) hauteur 40 cm sur rocher .... » 128
Érable (*Acer palmatum*) hauteur 40 cm .... » 129
Érable (*Acer palmatum*) .... » 130
Érable (*Acer palmatum*) hauteur 45 cm .... » 131
Érable (*Acer palmatum*) hauteur 75 cm .... » 132
Érable (*Acer palmatum*) hauteur 90 cm .... » 133
Frêne (*Fraxinus excelsa*) .... » 134
Fusain (*Euonymus alata*) .... » 135
Gingko (*Gingko biloba*) .... » 136
Grenadier (*Punica granatum*) .... » 137
Hêtre (*Fagus crenata*) hauteur 45 cm .... » 138
Hêtre (*Fagus crenata*) .... » 139
Hêtre (*Fagus sylvatica*) .... » 140
Lantanier (*Lantana camara*) .... » 141
Magnolia (*Magnolia stellata*) .... » 142
Mélèze (*Larix decidua*) hauteur 55 cm .... » 143
Mélèze (*Larix decidua*) hauteur 75 cm .... » 144
Mélèze (*Larix decidua*) hauteur 85 cm .... » 145
Mûrier (*Morus nigra*) .... » 146
Murraya (*Murraya exotica*) .... » 147
Orme (*Ulmus campestris*) hauteur 40 cm .... » 148
Orme (*Ulmus campestris*) hauteur 40 cm .... » 149
Orme (*Ulmus campestris*) hauteur 40 cm .... » 150
Orme (*Ulmus campestris*) hauteur 70 cm .... » 151
Pin (*Pinus thumbergii* variété *corticata*) .... » 152
Pin noir (*Pinus nigra*) .... » 153
Pin à cinq feuilles (*Pinus pentaphilla*) hauteur 40 cm ...... » 154
Pin à cinq feuilles (*Pinus pentaphilla*) hauteur 50 cm ...... » 155
Pin à cinq feuilles (*Pinus pentaphilla*) hauteur 50 cm ...... » 156
Pommier (*Malus communis*) .... » 157
Pommier (*Malus sieboldi*) .... » 158
Prunellier (*Prunus spinosa*) .... » 159
Pyracantha (*Crataegus pyracantha*) .... » 160
Sageretia (*Sageretia theezans*) .... » 161
Sapin (*Picea abies*) hauteur 45 cm .... » 162
Sapin (*Picea abies*) hauteur 60 cm .... » 163
Sapin (*Picea abies*) hauteur 80 cm .... » 164
Viorne boule de neige (*Viburnum opulus*) .... » 165
Les mini-bonsaïs .... » 166
Azalée (*Rhododendron sppl*) .... » 167
Cotoneaster (*Cotoneaster orizzontalis*) .... » 167
Érable (*Acer buergerianum*) .... » 168
Genévrier (*Juniperus pungens*) hauteur 9 cm .... » 168
Genévrier (*Juniperus pungens*) hauteur 10 cm .... » 169
Genévrier (*Juniperus pungens*) hauteur 12 cm .... » 169
Orme (*Zelkova carpinifolia*) .... » 170
Sapin (*Picea abies*) .... » 170
Glossaire .... » 171

Achevé d'imprimer
en septembre 1988
à Milan, Italie, sur les presses
de Grafiche Milani
Dépôt légal: septembre 1988
Numéro d'éditeur: 1977